ピジン・クレオル諸語の世界

ことばとことばが出合うとき

西江雅之

白水社

著者に代わって
――西江雅之先生とピジン・クレオル諸語の世界――

ピジン・クレオル諸語。この名称を初めて耳にするという方も多いのではないでしょうか。言語の天才と呼ばれた西江雅之先生が、生涯にわたって追い続けた最大のテーマが、このピジン・クレオル諸語の問題でした（なお、本書の中で西江先生は「クレオル」を採用されていますが、日本では「クレオール」、「クリオール」などの表記も見られます）。

異なる言語が接触した場合に、そこに新しい言語が生まれて来ることがある。ピジン語とは、限定的な用を足すためだけの片言の状態のものであるが、ピジン語の中には、次第に話者を増やし、表現力を増し、やがて何でも表現可能な一つの言語となるものがある。その状態に達したものをクレオル語という。このピジン・クレオル諸語については、世界に一〇〇を超える事例が報告されている。

クレオル語には、接触した言語が何であるかに関わらず、共通した文法構造が見られる。それは、もしかしたら、人間という動物に備わった普遍的な言語能力を反映したものかもしれない。また、ピジン・クレオル諸語の多くが、奴隷貿易にともなう異言語接触を背景としている。奴隷として売られた者たちは、過酷な労働を強いられるなかで、自分の言語が通じる仲間もいない。そうした極限の状況下でも、いわば断片としてのピジン語から、人間は新しい言語、つまりクレオル語をわずか数世代のうちに創りあげていった。それはルーツをすべて奪われても、人間は人間であるということの一つの証明なのだ。

ピジン・クレオル諸語について、こんな話を先生から初めて伺ったときの衝撃は忘れることができません。そして、早稲田大学の学生時代に行ったアフリカ縦断の旅から始まって、ケニアやタンザニア、ハイチ、マルチニーク、ギアナ、バヌアツ、モーリシャス、パプアニューギニアなど、先生の口から次々と繰り出される世界各地でのフィールドワークのエピソードは、いつも驚きと笑いの連続でした。

先生の旅の足跡はこれまで主にエッセイという形で発表されてきましたが、本書にはフィールドでの経験を通して先生がつかんでいった言語研究の核心が残されています。また、身のまわりの動物たちの仲間になりたいと修業にはげんだ少年時代から抱き続けてきた「ことば」への鋭い感覚や、従来の言語学が対象としてきた「言語」とは何かということへの問題提起も随所に見受けられます。こうした従来の言語学の枠組みからはみ出した面白さも、本書の魅力の一つです。

フィールドから既存の学問の根源を問う視点と、異言語接触による新しい言語の誕生をさぐるための緻密な考察。この両面を通して、本書は人間の言語を考えるうえで欠くことのできない視点を提供してくれるものに違いありません。

二〇二〇年五月

加原　奈穂子

ピジン・クレオル諸語の世界　目次

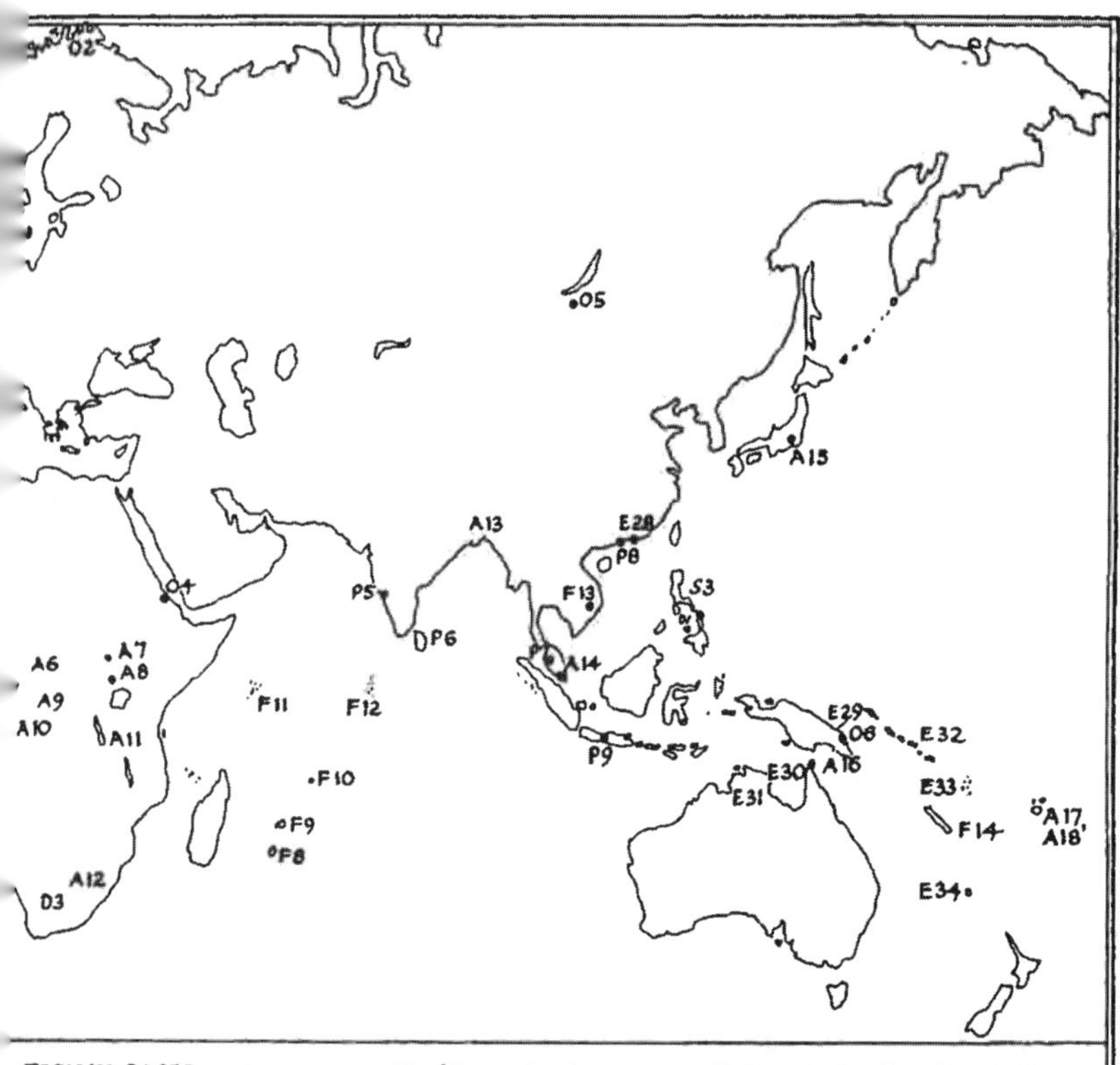

FRENCH-BASED *cont.*

- F7 West African PF
- F8 Réunionnais ★
- F9 Mauritian CF
- F10 Rodrigues CF
- F11 Seychellois CF
- F12 Diego Garcia CF (Chagos Arch.)
- F13 Vietnamese PF †
- F14 New Caledonian PF †

AFRICAN-, ASIAN-, AUSTRONESIAN- AND AMERINDIAN-BASED

- A1 *Eskimo Trade Jargon* †
- A2 *Chinook Jargon* †
- A3 *Mobilian Jargon* (†)
- A4 *Delaware Jargon* †
- A5 *Lingua Geral*
- A6 *Sango P/C*
- A7 Juba Pidgin Arabic
- A8 Nubi Creole Arabic
- A9 *Lingala*
- A10 *Kituba*
- A11 *Swahili P/C*
- A12 *Fanakalo*
- A13 Naga Pidgin
- A14 Baba Malay
- A15 Pidgin Japanese †
- A16 Hiri Motu
- A17 Pidgin Fijian
- A18 Pidgin Hindustani

BASED ON OTHER LANGUAGES

- O1 Pidgin Basque †
- O2 *Russenorsk* †
- O3 *Lingua Franca* †
- O4 Eritrean Pidgin Italian
- O5 Chinese Pidgin Russian †
- O6 Unserdeutsch

- † Extinct
- ★ Semi-creole
- *Italics* Spoken over a wider area
- ◆ Shown on map 2

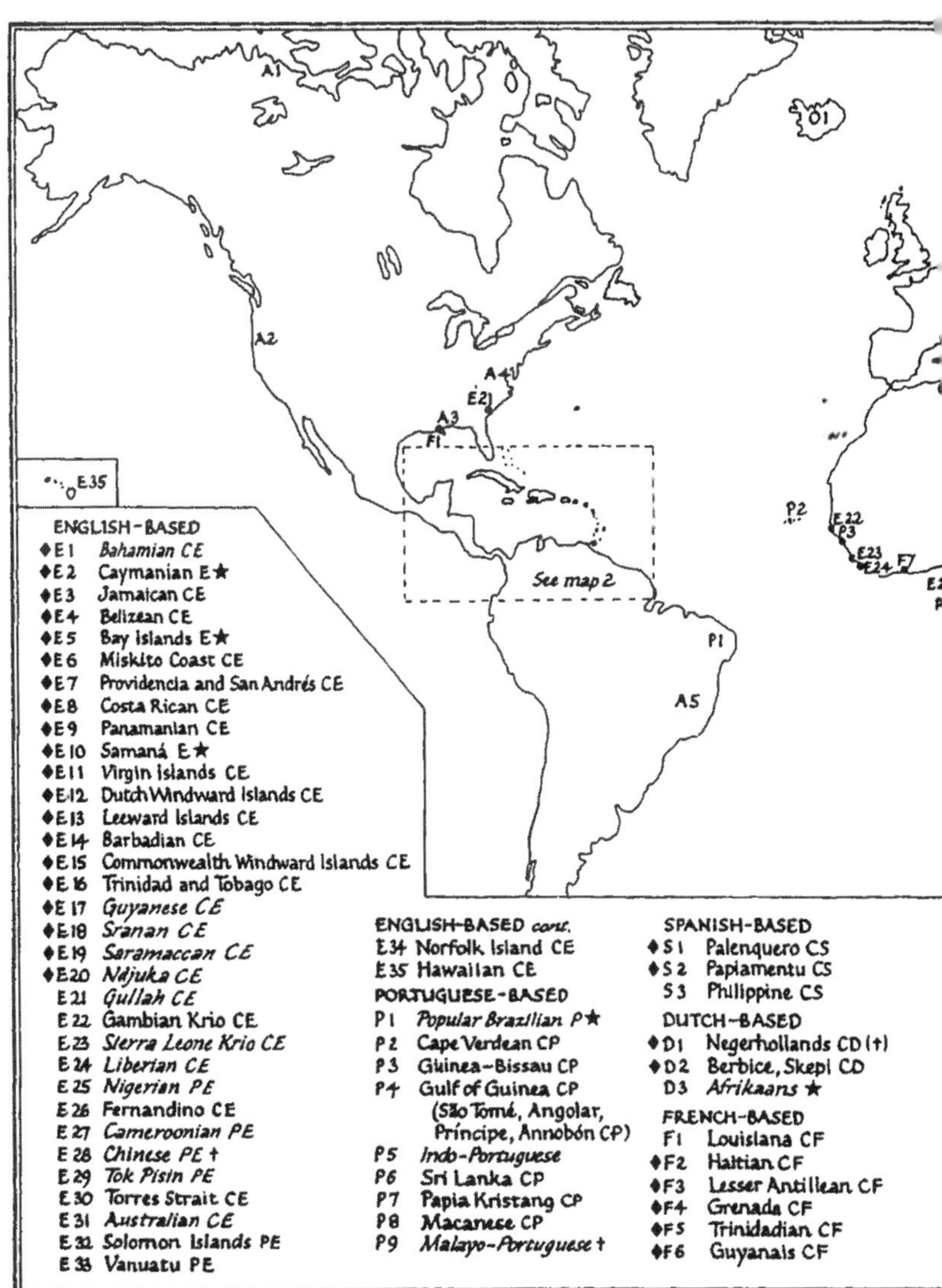

世界のおもなピジン・クレオル諸語（1）

出典：Holm, J. A. (1988), *Pidgins and Creoles,* Vol. 1, Cambridge University Press.

ATLANTIC
OCEAN
VIRGIN ISLANDS
E11, D1
Anguila
St.Martin
E10
DOMINICAN REP.
E12
Antigua
Saba
E13
Montserrat
PUERTO RICO
St.Kitts
Nevis
Guadeloupe
LEEWARD ISLANDS
Dominica
F3
Martinique
SEA
WINDWARD
St.Lucia
St.Vincent
Barbados
ISLANDS
E15
F4
E14
Grenada
Aruba
S2
Bonaire
Curaçao
Tobago
Trinidad
E16, F5
VENEZUELA
E17
D2
GUYANA
E18
F6
FRENCH GUIANA
E19
E20
SURINAME
0
500
1000 km
0
500 miles
† Extinct
★ Semi-creole
Italics Spoken over a wider area

世界のおもなピジン・クレオル諸語（2）
出典：Holm, J. A.（1988）, *Pidgins and Creoles,* Vol. 1, Cambridge University Press.

装丁　三木俊一（文京図案室）

第一部 「出合い」の言語学

写真（上）：パプアニューギニア、トク・ピシンの掲示、加原奈穂子撮影
写真（下）：パプアニューギニア、マウントハーゲンの祭り、西江雅之撮影

1 「異なる言語」をめぐって

異言語の出合い

「異言語の出合い」についての話を、何回かにわたってしてみたい。話題とする時代に歴史的な目安をつけるとすれば、それはコロンブスの新大陸発見以後の五〇〇年間ほどになる。言うまでもなく、異言語の出合いという出来事は、それ以前にもふつうにあったはずのものである。それどころか、言語は同様の出合いのドラマを歴史の流れのなかで絶え間なく続けてきたものだとも言えよう。

しかし、古い時代のことは推論に頼らねばならない部分が多くなる。その点、コロンブス以後の世界では事情が違う。地球上のどの地域であれ、なんらかの形で異言語接触に関する事実を書き残した資料が存在する。それらは綿密度に問題点があるとはいえ、少なからず参考になる。話に具体性がともなってくる。

二つ以上の異なった言語が出合う。これは本当は正しい表現ではない。実際に出会ったのは人びとである。人間の介在なしの言語そのものの接触は、二〇世紀の後半になってコンピュータの力を借りた機械翻訳などが世に出現してはじめて可能となった。ある言語と別の言語が機械の内部でそれ自体で出合うようになったのである。ただし、それはどちらかの言語に置き換える、すなわち翻訳という唯一の目的をもつもので、言語接触の特殊な一例でしかない。

人間の歴史は、他集団との接触の歴史でもあった。戦争、交易、探検、集団移動、迷い込み、結婚等々、実にさまざまな接触を経て、現在がある。そのうちには、互いに通じ合うことができない言語を話す集団同士の出会いも多々あった。そうした異言語接触で、いくつもの言語が消えてゆき、新たな言語が生まれてくるという言語的出来事があった。

人間は「言語」を話す動物であるといえる。しかし、ここではそういう総体としての「人類の言語」ではなくて、「〇〇語」と呼ばれている個別のものをとりあえず「言語」と呼ぶことにしよう。

そうした個別単位でみてみると、現在、この瞬間にこの地球上で話されている言語の種類は七〇〇〇を簡単に超える。すなわち、日本語、英語、中国語、アパッチ語、スワヒリ語で五言語というふうに数えてみたら、ということである。名称が異なった言語が、世界ではそれほど多く話されているということなのだ。

一つで何億人もの人びとが話す言語がある。話者がわずか数十人ほど生存するのみという言語もある。ある言語は、それを母語として話す者はあと一人と言われている。その人物は、日常は自分の母語以外の言語での生活を強いられている。最後の話者であるその人物が亡くなれば、その言語は学術書に歴史記録として残されるのみのものとなる。そうかと思うと、衰えかけている言語が活力を回復したり、新たな言語が生まれ出てきたりもする。

コロンブス以後の世界の特色は、世界各地での植民地化であった。それは奴隷貿易という強制的人間移動による多数の人びとからの母語の剝奪、おもにキリスト教徒が話す言語による宣教、住民のものではない他人の言語による政治経済活動、教育などをともなった。

二〇世紀後半には世界の枠組みが大きく変わった。第三世界で数々の独立があり、植民地が消えていった。新しい国々の世界参加がみられた。ネイション（国家）から、エスニック国への変化もみられる。地上のすべての住民が、多くの場合は母語と一致するわけではないが、自分たちの国語や公用語をもつことになった。マスコミ、政治、教育、宗教などは、多くの場合、当人にとっては母語ではない特定の言語の使用を、急激に人びとの生活に浸透させている。そしてなによりも、テレビやパソコンなどの使用による情報のあり方は、人びとの生活を変えていったことが知られている。言語には話者集団の規模の大小に情報力の強弱が加わった。

このような状況での異なった言語の出合いは、多数の言語の死と、それよりずっと数は少ないが、新たな言語の誕生をもたらした。二〇世紀の後半には、実にさまざまな言語が消えていった。その数は、今後は急激に増えるだろう。たとえばアフリカ大陸では、現在、一〇〇〇内外の言語が話されているが、そのうちの数百言語は、二一世紀のはじめのころには地上から永遠に消えそうだ。アメリカのカリフォルニア州では現在、四五種ほどのネイティヴ・アメリカンの言語が話されているが、少なくともその半数はあと数年のうちに永久に姿を消すと推測される。絶滅の危機に瀕しているのは希少動物や植物のみではない。

「異なる言語」とは何か

異なる言語でも語順が似ている例

यह	हमारे	परिवार	की	तस्वीर	है।
イェ	ハマーレー	パリワール	キ	タスヴィール	ハェー
これは	私たちの	家族	の	写真	です。

インドのヒンディー語（インド・ヨーロッパ語族）と日本語は語順が同じ例が多いが、語族はまったく異なっている。すなわち別の言語である。

「異なった言語」。この言い方に関してはいくつかの前提を立てなければならない。

言語学では、歴史的に同じ祖先をもつと証明された諸言語のまとまりを「語族（family）」という名で呼ぶ。そして専門家は、同じ言語、異なった言語という話を、「語族」の上ではということを暗黙のうちに約束ごととして話す傾向が強い。名称が異なるいくつかの言語も、語族の上では同じ家系の同じ家族に属す一員として扱われる。そこで、共通の祖先が見出せない言語はまったく異なった言語として扱われる。語族を異にする日本語と中国語は、まるで関係のない二つの別の言語とみなされる。

しかし、一般の人びとは日常生活にみられる身近さを基準にして考える。たとえば、語順がそっくりだったり、非常に多数の単語が同じであったりする二つの言語がみつかれば、それらは同じ種類の言語ではないかと思う。たとえば、多数の漢語や漢字の使用、多数の成句の借用などから、日本語と中国語はなにか深い関係があるものとしてとらえるのもふつうである。文化論先行型とも言えるだろう。系統論とは異なるこの考え方も、たやすく捨てられるものではない。

「言語が異なる」ということに関しては、ほかにもさまざまな基準が立てられるが、次のような理解は最低限必要となるだろう。先にふれたように、

①互いに通じなくても１つの言語とされる例

得閑嚟傾吓閑偈喇

dɐk^{1} han^{4} lɐi^{4} kiŋ^{1} ha^{5} han^{4} gɐi^{2} la^{1}

有空儿来闲聊天儿吧

yǒu kòngr lái xián liáo tiānr ba

暇があるときに、おしゃべりに来てください。

広東方言（上）と北京方言（下）は同じ中国語に含まれる二方言とされるが、発音のみでなく、漢字の用法も大きく異なり、たがいに通じない。

②互いに通じても異なる言語名称を持つ例

¿Tengo que cambiar de tren para ir a ...?

Tenho de cambiar comboios (trocar trens) para ir à ...?

... に行くには汽車を乗り換えねばなりませんか？

この二つの文は、ほぼ同じようなものであるが、スペイン語（上）とポルトガル語（下）という二つの別の言語である。

現在の世界には数千の異なった言語が存在する。そうだとすると、「異なった二言語の接触」と言うならば、そのうちから任意に二つの言語を選びさえすればよいということになる。しかし、それでは場合によってはあえて研究などしなくても、その結果は明白なものとなる。韓国語と朝鮮語が接触するとどうなるか。その答えは、ごく微妙な点をのぞけば明らかだ。

そもそも名称の上で「言語が異なる」ということは、その二言語の発音、単語、文法構造のあり方が大いに異なっているからだとは限らない。すなわち、互いに通じないということは決定的な根拠とはならない。他方、なんらの支障もなく互いに自由に通じ合える言語であっても、名称としては二つの異なった言語であるとされる例もふつうにみられる。そうかと思うと、互いに通じないような言語であっても、それらは同じ一言語に含まれる変種（方言）にすぎないとされる例も珍しくない。

なによりも「○○語」という名称は、言語そのものに基準が求められるものではない。政治と歴史に根拠を置くものなのである。「○○語」というのは、文化基準に基づくものだとも言える。

二〇世紀の半ばごろには厳しかった朝鮮語と韓国語の区別は、そのよい例である。この二つは自由に通じ合える言語であっても、別の二つの言語とされた。しかし、このことも英語で話せば、両者ともに“Korean”という同じ名になってしまう。この種の政治的「二言語」名称は英語では成り立たない。

「○○語」という名称が政治・歴史的基準でいったん決められてしまうと、その個々の言語の内部にはふつう、次のような下位区分が認められる。その各々がもつ下位変種の間の境界は整然としたものではないが、知覚的に区分できるという点では、自然科学的な根拠がつけられる部分でもある。

○○語
- 地域変種（複数の方言）
- 状況対応変種（敬語、仲間言葉など）

「地域変種」は、話題の対象のあり方でその空間領域の規模を変える。日本全体を対象にして大別すれば、そこには琉球方言と本土方言の二つがある。琉球地域をのぞけば、そこには九州方言と

①日本語における地域変種の多様性

ʔa:tʃibai ʃi tumetaʃiga ʔudanimu ʔuradana ʔatamu.

一生懸命に捜したが、どこにもいなかった。

琉球方言の一つである奄美諸島の沖永良部(おきのえらぶ)島の田皆(たみな)方言と東京方言とは、まるで通じ合わないが、ともに日本語の変種にすぎない。

②日本語における状況対応変種の多様性

俺、メシ食ってきた。
僕、ご飯食べてきました。
わたくし　食事をしてまいりました。

東京方言でも、相手によって言い換える言語は、語順を除けばそれぞれ共通する要素すらもたないが、それらはすべて同じ日本語の例でしかない。

本州方言、北海道方言などがある。本州のみでは関西、関東、東北方言などとなり、関東のみでは茨城、埼玉、東京方言など、東京のみでは山の手、下町方言などとなり、行きつくところは個人語である。人はそれぞれ他人とは異なった話し方をするからだ。また、「状況対応変種」は、日本語の敬語のような待遇表現にもみられるものである。ある内容を伝えるのに型が一種類しか存在せず、その言語の話者はいかなる状況、いかなる相手でも同じ型の言語を話すだけ、という例はない。身分、職業、ジェンダー、大人と子ども、その場の状況、相手に対する当人の立場などのうちのいくつかの社会基盤に応じて、異なった言語の型（単語、文体など）を使い分けるのがふつうである。

したがって、自分は一言語しか話せないと主張する者も、実際は何種類もの地域変種や状況対応変種を同時に身につけていて、場面に応じてそれらを使い分けているということになる。そして、同じ言語内の各々の変種の間の異なり具合が、二つの異なった言語とされるものの違いよりも大きい例さえ見出せる。

「異なった言語」の出合いという話題は、「異なり」のあり方、その「程度」ということに関して、出だしからさまざまな問題を抱えている。

2　言語の死、言語の誕生

言語の死

異言語接触は、さまざまな結果をもたらす。

歴史の流れのなかで、ある場合は接触した二つ以上の言語がそのまま併存する。接触言語のうちの一つだけが残され、他方は消滅する場合もある。一つの言語が失われた場合、それを人びとは生き物のようにみなして「言語の死」などと表現する。

もっとも、言語の死は異言語接触の結果としてのみ起こるものではない。ある言語は歴史の流れのなかで枝分かれして、二つの異なった言語であるとされるようになる。それ以上の数の言語に枝分かれすることもある。そのような場合、分化以前の言語は名称を失うので、死滅したとされるだろう。分化はしなくても、ある言語は時の流れのなかでその姿を大きく変え、名称までもが別のものとなる。その場合も元の言語は死滅したとされるのだ。

言語に死を与えるものの一つは、話者である。話者たちのみずからの言語に対する関心のあり方が、言語の生命を左右する。他の一つは、話者をとり囲む自然や政治経済的な環境である。生活環境の変化によって、人びとは他の言語集団に吸収され、みずからの言語を失うことになる。ただし、外的な力によって言語が迎えるのは死のみではない。衰弱した言語が、外からの刺激を活力として生き返るということもある。「言語の復活」とも呼べるだろう。

過去の日本語と現在の日本語が異なっている場合、考え方によれば前者は死滅したと言えるかもしれない。しかし、それらは生き続けている同じ言語の変化した姿であるにすぎない。言語の死であるとも言えるが、むしろ、後者に光を当てて「言語の誕生」と言った方がよいかもしれない。

接触の有無にかかわらず、言語の死は次のように大別できるだろう。

（1）自然死＝ある土地の人口が徐々に減り、ついには言語ともども消えてしまうような場合。このような例は、隔離された狭い土地、孤島などに多く見られた。

（2）突然死＝ある言語の話者たちが、なんらかの事故に巻き込まれて全員そろって急死してしまったり、襲われて全員が殺されてしまったなどという場合。話者が存在しなくなると同時に言語も消えることになる。

（3）強要死＝ある土地に二種類以上の異言語話者集団が共存し、主導権を握る集団が自分たちの母語のみの使用を住民に強要するような場合。被支配者集団の言語は死滅する。

（4）選択死＝二つ以上の言語の接触状況のなかで、住民が生活に都合がよい方の言語の使用に次第に移ってゆき、結果的に従来の言語を消してしまう場合など。

（5）棚上げ死＝宗教上の理由などから、日常生活で話されていた言語が、儀礼、宗教音楽の歌詞、または特定の修行での隠語としてしか使われなくなってしまい、やがては消えていってしまう場合など。

（6）曖昧死＝言語接触による変化の結果、言語の一部（語彙面や音韻面など）が残されているとはいえ、一応、それ以前の状態での言語は消滅したと考えられる場合。同様の例は、一言語の歴史変化の場でも見られる。広い意味では元の言語は死に、新しい言語が生まれたと見なされる。

異言語接触で何が起こるのか

このように言語の生死を問うのとは別に、二つ以上の異なった言語の接触状況での使用例を見てみると、それは次のようになる。

A——何も起こらない

①異なった言語が接触しても何も起こらない場合がある。たとえば二つの異なった言語を話す集団が争い、異なった言語でののしり合い、闘ったとしても、そのことが言語にはなんら見るべき影響を与えないことがある。

②異なった言語を話す二人、または二つ以上の集団が出会った場合などに、そこでのコミュニケーションのほぼ全部を言語以外の表現手段（いわゆるノンバーバルな部分）に頼る。その場合、接触した言語には見るべき変化はない。このような例は、交易の場では珍しいことではない。

B——何かが起こる

③異なった言語の話者間のコミュニケーションで、話者たちのいずれかが母語とする言語に頼る。たとえば、英語を話すアメリカ人と日本語を話す日本人の間での会話で英語に頼る場合がある。

④異なった言語を話す人びとのコミュニケーションで、話者たちが自分たちの母語ではない言語に頼る。たとえば、日本語の話者とチェコ語の話者でのコミュニケーションに、共通語として英語を使う場合などである。国際会議ではもっとも普通のことである。

⑤異なった言語の話者の間に、新しい言語が形成されはじめる。

広い意味での言語を含めれば、手話のようなものをともなう共通語が形成される例（⑤a）がある。北アメリカのネイティヴ・アメリカンに見られた異部族間・異言語間の共通身振り言語（American Indian sign languages）はよく知られている。主なものは、平原地帯インディアン手話（一八世紀後半頃から使用された。一九世紀には約一〇万人が理解したと言われている。現在も儀礼の場では使用される）、高地地帯インディアン手話（一八世紀末頃になると東部では平原手話に、北西部の太平洋沿岸部ではチヌーク・ジャーゴンにとって代わられた）である。

さらに、接触言語が混ざり合う例が見られる。これには単なる外来語の過剰導入でしかないという例から、一方の言語のある側面が他方の言語のある側面と混ざり合うという例（⑤b）、さらには接触した諸言語が共に構造面でも変貌を遂げ、新しい言語が形成されはじめる例（⑤c）が見られる。ここでまず、話題にとり上げるのは、これら異言語の出合いのうちの「新しい言語が生まれる例」（⑤bと⑤c）である。

異言語接触と外来語

文字通りに純粋であるという言語は存在しない。あらゆる言語が歴史過程で、音声、意味単位（単語など）、または仕組み（文法）の面で、他言語からなんらかの要素を導入している。このようにして何かが混ざるということは、広い意味では何かが新しくなる、何かが生まれるということであるとも言える。

こうしたもののうち、もっとも簡単に判別できるのは、「外来語」と呼ばれるものである。外来語とは、他の言語からの導入語ということであって、その単語を提供した言語は外国のものでも、同じ国内のものでも構わない。

日本語の現状は、外来語過剰状態とも言える。特に、ファッションや情報産業などに関する会話ではその傾向が強い。「フレッシュなカレッジ・ライフがエンジョイできるキャンパス・ルックのスペシャル・プレゼント」、「インターネットでチャットしたいけど、アドレスがないんだよ」などの例に見られる文は、確かに二つの言語が接触し、混ざり合ってでき上がっている。新しい言語の誕生にも見える。しかし、その種の混ざり合いは、ここでの話題からは外すことができるものである。

まず、ここでの主題は外来語の是非論ではない。また、言語そのものに関する点から見ても、これらの文は発音の上でも文法の上でも接触に起因する変化をほとんど被ってはいないのだ。すなわち、これらの例は普通の日本語のものなのである。

異言語接触と混成語

世界の全域にわたって、たとえば第二言語（日本では多くの場合は外国語）を学ぶ場合、自分の言語に学習中の第二言語を混ぜるという行為が見られる。ある社会ではそうした行為が広く人びとの間に見られることもある。しかし、それは基本的には個人的な行為にすぎず、社会的慣習として認められるものではない。

また、南アメリカやカリブ海域のアフリカ系住民（かつて奴隷として連れて来られた人びとの子孫）の儀礼の際に見られるような、二言語混合の歌や祈りのような例も、社会での特殊状況における仲間内の言語であり、それは、日常社会で慣習化したものではないという理由で、普通は、「混成語」の話題には入らない。

「混成語（mixed language）」と呼ばれる言語は、まず、その土地に住む人びとの日常生活の言語でなければならない。この種の言語は、外来語過剰の言語とはいくつかの点で異なる。これらの言語は、意味単位（単語など）のほぼすべてが接触した言語の一方の側からのものである。また、それらの単語はもう一方の言語がもつ文法とうまく絡み合っている。文法に関しては、語順のみならず語形変化部なども、ほぼそのまま保たれているのである。単語要素は一方の言語、文法は他方の言語というふうになっているので、「混成語」よりは「絡み合い語」と呼んだ方が適しているのかもしれない。

このような珍しい言語で、もっとも早い時期に話題にあがったのは、東アフリカのタンザニアのンブグ（Mbugu）語（または「マア（Ma'a）語」とも）で、この言語はアフロ・アジア語族に属すクシ諸語の一種（単語面）とニジェール・コンゴ語族に属すバントゥ諸語の一種であるパレ（Pare）語（文法面）が絡み合った言語である。また、アメリカのノースダコタ州、モンタナ州やカナダ西部で話されているミチフ（Michif）語は、単語面が主にフランス語で、文法面はネイティヴ・アメリカンの言語の一種、クリー（Cree）語の混成である。

混成語の形成は、ある地域の話者たちがなんらかのレベルでバイリンガル状況に生活していることを条件とする。また、形成後の混成語は、基本的には周囲の異言語集団とのコミュニケーションを必要としない、小集団の内部閉じこもり型の言語である。歴史的に見れば話者たちは、それぞれ異なった集団に属していたとはいえ、形成後の彼らの意識はそれらのいずれの集団に対しても関心が低い。

異言語接触から新しい言語の形成へ

混成語より一層積極的な、新しい言語の形成が見られることもある。それは既製の言語の構造そのものにも変化を促すからである。一例をあげよう。戦後の日本には米軍基地が多数できた。そこには、米兵を相手に商売をする女性もたくさん集まってきた。ここでの話は、「パンパン・ガール」と呼ばれたその種の女性に関する社会論ではない。そこで起こった言語接触の話である。

さまざまな背景を持つ女性がいたに違いない。アメリカ人から見て、さして違和感のない英語を話す者もいただろう。しかし、一般的には周囲の人びとが聞き慣れない言語を話し始めていた。

「ユー　ノーグッドよ。イエスタデー　ユー　ドン　カム　ホワイ?　ミー　ウエイトよ」といった調子の言葉で米兵と話し始めていたのである。

「あの種の女たちは目茶苦茶な英語を話す」、「教養がなく、頭も悪いから、まともな英語が覚えられない」などが、その種の言語に対しての世間の評価であった。ここでは規範英語の会話学習論は別としよう。これらの評価は、言語というものに関して重要なことを見逃してはいないだろうか。まず、「目茶苦茶」とは、いかなることを言うのだろうか。さらに、同じ人間にそのことを一〇〇回させたら、毎回すべて異なったことをしたとするならば、それは目茶苦茶、すなわちいかなる規則性も見出されない。しかし、彼女たちはどこかに集合して言語のあり方を相談し合ったり、権威者に問い合わせたりすることは一切なかったが、全員が次のような特性をもつ共通の言語を話し始めたのである。

(1) 発音の面はすべて、彼女たちの母語である日本語の発音そのものである。
(2) 単語はほぼ英語からのものである。
(3) 文法は多少簡略化され、語順にも英語との間に多少のズレは見られるが、どちらかというと英語の文法に適合する。

こうした言語が、自然発生的に生まれてきたのだ。

言語の基本要素は、音声単位、意味単位（単語など）、文法である。彼女たちが話す言語は、そのすべての面で全員が一致する。特定の米兵と生活を共にする「オンリー」と呼ばれる女性も出現した。そうなれば要求も愚痴も多くなるだろう。すなわち、語彙も多くなり、文法もより複雑なものになってくる。そうした状況での実例をオンリーたち一〇〇人から集めたとしても、結果は同じ種類の言語となるのだ。こうした異言語接触による新しい言語の形成過程を「ピジン化（pidginization）」と呼ぶ。

言語接触には、非常に単純なピジン化から次第に複雑化したピジンに至る例も見られる。それは新たな言語の誕生に向けての動きであるとも言えるのである。

3 「ピジン語」というあり方

「ピジン語」とは何か

単語のような個別の意味単位ではなくて、文を支える仕組み（文法）の面でも大きく異なる言語を話す人びとが出会った場合、そこにはなんらかの形で「新しい言語」と呼べるものが形成されることがある。それは、ごく初期的な状態にあるものから、やや複雑な形式をもつ例まであり、世界中に見出される。

それらの言語を総称して「ピジン（pidgin）語」と呼ぶ。ピジン語は、二つ以上の異言語接触の結果として生まれてくる。言語を支える三大要素には、発音、意味単位（単語など）、文法（仕組み）があるが、ピジン語では基本的には、文法（簡略化されている）と単語（元の言語での意味とは異なるものも少なくない）は接触言語の一つからとり入れられ、発音はその他の接触言語からとり入れられる。ピジン語は、いかに深入りした状態にあっても補助言語でしかなく、それで日常のすべてを表現することはできない。ピジン語を母語とする者はおらず、話者はすべて自分の母語とピジン語の二言語使用者である。

この種の言語に関しての話題を続けるうえで、ここで言う「新しい」、「言語」、「形式」といった語について、その意味することについて簡単に触れておくことが必要だ。

「新しい」――これは、無から生じたという意味ではない。新しい言語とは、ある言語（複数）から形成され異なる形式をもつに至ったもので、その過程に関わった諸語とは仕組み（文法）の上で隔たりが出たものを言う。ピジン語の場合は、その基盤となった諸語からの隔たりの度合いはそれほど大きくはない。しかし、クレオル語の場合は、その形成に関わった諸語のいずれとも明確に離れた仕組みをもっている。

「言語」――人が話す「ことば」には声がともなう。そこには音色、スピード、情動などが分かち難く溶け合っている。しかし、ここで話題にする「言語」とは、紙の上に文字や発音記号のような記述記号の助けを借りて書き留められた、分節された記号の連鎖（および範列）を指している。すなわち、実際に話されている連続音としての「ことば」に見られる音色、スピード、強弱ニュアンス、情動などを除外したものとしての「言語」なのである。「異言語接触」とは、こうした意味での「言語」の接触を指しているのであり、「ことばの接触」とは異なる話題である。

また、言語にとっては最も重要な部分を占めている「意味」についても、異なった「意味の接触」に関する話題はここからは一応は外される。この点に関しては、言語の形式が異なっても同じ意味を伝えている場合や、同じ言語形式で話しても異なった意味をもつ場合があることに注意が必要だ。たとえばアラビア語（アフロ・アジア語族）で話してもペルシア語（インド・ヨーロッパ語族）で話しても、宗教道徳的な話題に関しては意味はほぼ同じものとなるので、異言語の関係にあっても「異・意味接触」は見られない。しかし、たとえば韓国と北朝鮮の政治代表が同じ言語で同じ単語を使って話したとしても、意味には大きな異なりが認められることがある。それは同言語間の「異・意味接触」の例であると言える。

「形式」――記述された言語の音声単位、意味単位、それらの仕組みのあり方を指す。式辞の述べ方といった形式（style）ではなくて、単語や文法の形式（form）である。

数多くのピジン語のなかで、特にアメリカに見られるのは、「ジャーゴン（jargon）」と呼ばれるものである。カナダからアメリカ合衆国の北西沿岸地域で一九世紀から二〇世紀にかけて話されていたチヌーク・ジャーゴン（Chinook Jargon）は、現在でもカナダのブリティッシュ・コロンビアには話者がごく少数ではあるが生存するようだ。また、メキシコ湾岸で一七世紀から二〇世紀まで話されていたチカソー（Chickasaw）語を基盤とするモビル・ジャーゴン（Mobilian Jargon）などは最もよく知られているものである。

リングァ・フランカ（lingua franca＝共通語一般の名称）は、異言語話者間での共通語であるという点ではピジン語と同じである。しかし、リングァ・フランカの場合は話者のなかにその言語を母語とする人間がいるのが普通であるが、ピジン語の場合はその言語を母語とする者は存在しない。

「ピジン」という名称が特定の地域の言語のみではなくて、言語のある種のあり方を指して使われるようになったのは、二〇世紀後半に入ってからのことである。現在でも、多くの辞書は「ピジン」の項目に「太平洋諸島で中国人が交易で使った舌足らずの英語」といったような解説をつけている。しかし、世界中に散在するその種の言語が研究対象となってくると、「ピジン」という名称の起源をめぐる諸説もいろいろと現れた。

例えば、ポルトガル語の ocupação（職業）が中国語風に発音されたとする説、ヘブライ語の pidjom（交易・物々交換をする）が起源であるとする説、南米ギアナの東部に住むアラワク系と推定される先住民の言語の pidian（人間）に由来するという説、英語の beach（浜辺）の中国語訛りであるとする説など、実に多様である。現在では、太平洋諸島で使われた中国語訛りの英語の単語〈business（商売・仕事）＞bizniz＞pidʒin〉に起源を求める説が最も広く支持されている。

ちなみに中国では、二〇世紀初頭にすでにピジン語の会話集が発行されている。また、さらにその一世紀近く前には、中国人が話すピジン英語が pigeon と表記されて記述されている例（一八〇七年）があるという。

ピジン語の誕生と形成過程をめぐる諸説

ピジン語は多くの場合、人間を商品とする奴隷貿易も含めた、世界各地の交易の場で形成された。その他は、軍隊の駐在地、港湾地域、言語を異にする者たちが働く鉱山地帯、大農場、漁場などが主なピジン語の誕生の地となっている。

ピジン語の誕生が必ずしも植民地主義に直結するものではないこと、さらに、その形成に関わるのは、多くの場合、二言語ではないことには注意が必要である。ピジン語の多くは、ある特定の言語を中心として他のいくつもの言語が接触して形成されたものである。例えば、ある港にフランス船が定期的に現れる。そこで働く労働者はさまざまな地方の出身者で、互いに共通の言語をもたない。そこでは雇用者が話すフランス語を中心とした異言語間の伝達が行われ、その結果、ピジン語が生まれる可能性が見られるのである。

ピジン語の誕生と形成過程をめぐっては、さまざまな説がある。

（1）無能者説――多くの場合、ピジン語の話者は社会的に低い地位にいるとされる人びとであった。ヨーロッパでは低賃金労働者であったり、植民地では奴隷であったり、奥地では未開人と呼ばれた人びとであった。教育があると自負する人びとは、そのような底辺の人びとが話す「舌足らずの言語」は、彼らの知的能力が低いからだと考えたのである。この考え方は、当然、否定されるべきだが、今でも多くの人びとが信じている説でもある。

（2）幼児語説――ピジン語の話者は、その形成に関与した諸語を母語として話す大人たちには幼児じみた発音をしているとの印象を与える。また、単語を内容語（content word）と機能語（function word）に分けた場合、機能語の使用がピジン語では非常に少ない。さらに、動詞、形容詞などに見られるような変化形の使用が大きく失われていて、無変化の単語として使用されるのが普通である。以上のような点は、幼児語と共通するというのがこの説の基本的な立場である。この説は、「幼稚であり、不十分である」という視点を強調すれば、規範語話者優秀説、ピジン語話者蔑視説に傾きかねない。しかし、そうした人間評価ではなくて、言語そのものから見ると、幼児の言語習得とピジン語形成の間の類似性には、今後注目すべき部分が大きい。

(3)個別並行発達説――この説は、ヨーロッパ語との接触で形成されたピジン諸語を研究した人びとに強く支持された。ピジン諸語は、ほぼすべてインド・ヨーロッパ諸語との接触の結果として各地で別個に生まれたものであり、その基層(substratum)となったのが、主に奴隷として売買された西アフリカの人びとの言語であったことに、この説では注目する。この説の弱点としては、西アフリカ諸語の文法を単一のものと見なす傾向が強いことがまず挙げられる。西アフリカ地域の言語間の構造的なバリエーションは、予想以上に大きいのである。また、個別に発達したとするには考え難いような文法上の共通点が、たとえば大西洋、インド洋、太平洋の諸地域のピジン語に多く見出せるのはなぜなのかという疑問も残される。

(4)ヨーロッパ語の方言起源説――ピジン語は、文法書に見られるような規範的な英語やフランス語などと、異言語との接触の結果によるものではないことは明らかである。そこで、ヨーロッパの特定の地域方言の形式とピジン語との類似点がいろいろな形で論じられてきた。それが起源論にも影響を与えたのである。この説を裏づけることの難しさは、ピジン語形成時代の方言に関する資料が充分には存在しないということである。しかし、起源説には至らなくとも、ピジン化を促した時代の方言の形式に関する研究は重要なものである。

(5)航海船上発達説――この説も、ピジン語が主にヨーロッパの言語と第三世界の言語との接触の結果であるとする立場に大きな比重を置いている。一九四〇年代から出てきたこの説は、比較的最近まで船員は多種多様な言語や方言の話者からなる集団であり、船上での彼らの会話のあり方が、仕事の場で関係をもったアフリカ人、アジア人、ポリネシア人などに伝えられ、それが基盤となって各地でピジン化が見られ始めたとする。諸ピジン語の類似点は船上で形成され、相違点は話者たちの各々の母語の影響によるものであるとも言えるだろう。この説は、世界のピジン語から数々の説得力のある例を引き出すことができる。しかし、各国の船員が船上で話す英語、オランダ語、フランス語などの構造上の違いが、なぜ、同じような形式で単純化されたり、省略されていくのかを説明するのに難点がある。また、内陸部で形成され、その形式にヨーロッパの言語が関係しない多くのピジン語の起源には説明力をもたない。

(6)単一起源説――この説もまた、ピジン語の基盤をヨーロッパの言語とするものであるが、特徴的なのは、すべては一五世紀のポルトガル語ピジンから派生したとする点である。この説はピジン語を、中世に十字軍の兵士や地中海沿岸部で活躍した商人たちが話した「リングァ・フランカ(Lingua Franca=この場合は特定の言語名)」の名残りと考える。一五世紀の西アフリカ沿岸部で、ポルトガル人はリングァ・フランカ使用の習慣を踏襲し、ピジン語を住民の間に広めていき、さらに世界の海を制覇していったポルトガルは、同様のことをインド洋、アジアでも行ったとする説である。

(7)語彙再入れ替え説――この説は、単一起源説のバリエーションと見てもよいものである。また、これはピジン語発生説というよりは、その後のピジン化の過程に関する説、またはさらにその後に続くクレオル語の話題に重点が置かれる説でもある。西アフリカで形成され、そこに根付いたポルトガル語ピジンは、地球上の他の地域にも広がりを見せた。しかし、その後一六、一七世紀と時代が移ると、ポルトガルの力が次第に弱体化し、力をつけた他のヨーロッパ列強国がポルトガルのかつての支配地を奪い始めた。その状況でもポルトガル語ピジンは各地で話されていたが、話者たちはその単語を少しずつ新しい支配者の言語の単語に替えていったとする説である。すなわち、ポルトガル語ピジンの仕組みは残されたが、語彙は、各々の支配地域で英語、フランス語、オランダ語といった別の言語のものとなっていったという考え方に基盤を置く。実際、世界の多くのピジン語で、それがいかなる言語の語彙系のものであろうと、非常に基本的な単語のなかにいくつか共通したポルトガル語起源のものが見出せる。その事実はこの説に賛成する人びとに大きな強みを与えている。sabi（知る）＜saber（ポルトガル語〈知る〉）、pikin（子供）＜pequeno（ポルトガル語〈小さい〉）などの単語は、英語ピジン、フランス語ピジンなどの多くのポルトガル語起源ではないピジン語に普通に見られる。

その他、ピジン語やクレオル語を生み出す能力は人間という動物の身体内部に組み込まれているとするバイオ・プログラム説などがあるが、この説に関しては後の話題としたい。

4　ピジン化の過程

ピジン語の形成

異なった土地出身の異なった言語を話す人びとの出会いによって、ピジン語と呼ばれる新しい言語が生み出されることがある。ピジン語の形成に関しては、幼児語説、個別並行発達説、航海船上発達説など諸説あることをこれまで紹介した。その結果話されるようになったピジン語は、使用される場を基準に分類することも可能である。軍隊・警察ピジン、船上・交易ピジン、農場ピジン、鉱山・建設現場ピジン、移民社会ピジン、旅行・訪問先ピジン、多言語都市ピジンなどの名称は、そうしたピジン語のためのものである。

ピジン語の形成には、話者の接触の性質、頻度、集団の規模、関与する集団間の言語的・文化的距離のあり方の度合いなどが、さまざまな形で要因として働く。ピジン語は、言語を支える三要素、すなわち、①音声要素、②意味要素（一つ以上の形態素から成る単語）、③仕組み（文法）のうち、音声要素を一方の言語に、意味要素と仕組みを他方の言語に、基本的には依存する。たとえば、戦後の日本の米軍基地の二言語接触の現場で聞かれた「ユー　ドン　カム　イエスタデー」という発話は、発音は日本語に、単語と文法は英語に、基本的には依存していた。

ここで、「音声」面と「単語・文法」面の依存の仕方にはなんらかの法則的な力関係が働くのではないか、との推測が出てくるのは当然であろう。しかし、具体的な背景を特定して依存のあり方の法則性を示すことはできない。ピジン語発生の各土地での文化的価値観のあり方が一様ではないからである。

たとえば、戦後に英語と日本語の接触によって形成されかけたピジン語の場合は、単語と文法という言語の中核となる部分は戦勝国の言語である英語に依存し、発音は敗戦国の言語である日本語に依存していた。しかし、軍事、政治、経済などで優位な側の言語が、必ずしも言語の中核部である単語と文法を受けもつようになるとは限らない。東アフリカのピジン・スワヒリ語（ki-Settla）の場合は、植民者であるイギリス人の力が優位であるにもかかわらず、ピジン化では発音面は英語に、単語・文法面はスワヒリ語に依存するのが普通であった。また同様なことは、インドの言語（ヒンディー語、グジャラティ語）とスワヒリ語の接触によるインド式スワヒリ語（ki-Hindi）にも見出せた。これは、イギリス人をはじめとするヨーロッパ人が、アフリカ人側に異国趣味という文化価値を一方的に与えたからかもしれないし、インド人が、アフリカ人側に心理的に「先住権」を認めたからなのかもしれない。物珍しさや遠慮というものは、時には主導性を立場の弱い側に譲ることがある。

異言語接触には、二言語のみが関与する例もあるが、多くの場合は、三種類以上の言語が関与する。そのあり方は、数種類、時には一〇種類以上の異なった言語間でのさまざまな程度の接触と、それらの言語のすべてが一様に対応することになるもう一種類の言語との接触、という形で実現するのが普通である。

西アフリカのような多言語地域の港では、そこに定期的に寄港する船の英語（またはフランス語、ポルトガル語など）を話す船員と、その港に働きに出ている互いに通じない言語を話すアフリカ人労働者たちとの間で大規模な異言語接触が行われた。さらに、その背後ではアフリカ人のなかでの異言語接触が同時に行われていたのである。その場合、アフリカ人同士の異言語接触は、互いに通じないが言語的に見れば単に同じ語族内の言語という例もあるが、まるで語族が異なる言語間の接触も少なくない。そうした例は、軍隊のような集団生活の場でも見出される。スーダン南部の軍隊で形成された言語の一つで、現在はケニアやウガンダに少数民族語として点在しているヌビ(Nubi) 語は、アラビア語と多数の小さな言語との接触によって生まれたが、後者にはアフロ・アジア語族、ナイル・サハラ語族、そしてバントゥ諸語に属す言語が含まれていた。

二言語接触の過程で形成されるピジン語は、発音の面では音声要素と音声の体系が簡略化される場合が多い。たとえば、日本語と英語の接触によるピジン語では、

スペリング	発音	日本語発音
right	[r] ait	[ラ] イト
light	[l] ait	

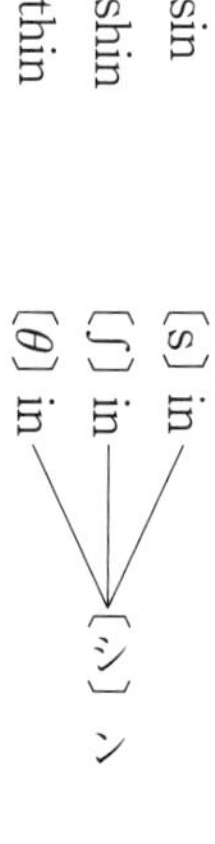

のように、英語では異なっている二つ以上の音声を、日本語の類似の一つの音声に移し換えてしまう傾向をもつ。異なった意味を支えていた音素が意味の対立を失い、同音異義語（ライト＝光、または右）となってしまうのである。

しかし、そのような単純化の傾向は、常に異言語接触にともなうというものではない。西アフリカのような多言語地域では、沿岸部で話されている多数の言語とヨーロッパの一言語（英語、フランス語、ポルトガル語など）との接触が見られた。奴隷貿易の時代には、そのあり方はいっそう複雑であった。そこで見られたピジン語には、アフリカ諸語間のさまざまな接触がもたらす音声上の変化に加え、ヨーロッパの言語と接触する過程でさらに複雑な音声上の変化が見られる。それは接触に関与したある種の言語の話者にとっては、必ずしも自分の言語がもつ基本的音声要素や体系に向けての単純化をもたらすとはかぎらなかった。すなわち、自分が話すピジン語に二重調音（co-articulation [k͡p、g͡b、p͡t など]）のような、みずからの言語にはない種類の複雑な音声をもつようになった言語も存在した。

西アフリカのシエラレオネにおけるクレオル語の一種であるクリオ（Krio）語では、ピジン化の過程で、基本的な閉鎖音〔p〕が、その形成に関係したヨルバ（Yoruba）語の二重調音〔k͡p〕にとって代わった（ヨルバ語は、クリオ語形成で英語に接触したアフリカ諸語のうちでは、最大規模の話者をもつ言語であった）。

ヨルバ語		ピジン・クレオル化	
apàrí	禿げの人	ak͡pari	頭髪のない子ども
àpáta	大きな、平らな石	ak͡pata	大きな、平らな石
àpò	袋、ポケット	akpo	狩人の袋

ただしag͡bada（刺繍付きガウン）のように、ピジン化しても形が変わらない例も多い。同様の例は、南米のスリナムで話されているサラマッカ（Saramaccan）語にも見出せる。たとえばk͡pefa（赤ん坊の頭巾）はポルトガル語のcoifa（赤ん坊の頭巾）に、k͡pei（清算する）は英語のsquare off（清算する）に由来する。

ピジン化の過程——様々な段階

ピジン語は、初期の状態から、かなり深入りした形式をもつものまでが見られ、必ずしも一定のレベルで固定した形式をもつものではない。ピジン語と呼ばれる言語はすべて、「ピジン化（pidginizaton）」の過程のどこかにあるものなのである。そのピジン化を段階別に大別してみることも、この種の言語の考察には有効であろう。ただし、その段階に分類することが難しい中間種も多く存在することは、ピジン化の過程が連続体であることからも推測できるだろう。

(1)ジャーゴン(jargon)=初期ピジン——ピジン化のごく初期の状態にあるもので、仕組みとしての文法やその表現能力、社会での使用範囲は非常に狭い。北アメリカに見られる例の多くは、「ジャーゴン」の名で呼ばれている。チヌーク・ジャーゴンは、その代表的なものである。またロシア語とノルウェー語との接触で形成されたルッセノルスク(Russenorsk)は、ジャーゴンと(2)の安定ピジンの中間にある例である。

ジャーゴンは極めて初期の状態にあるうちは単語の生成力はなく、単語や複合語は、それらを提供した側の言語で使用されるものとほぼ同じ形式で使われる。文法は、主語と動詞と目的語の三要素が一定の語順で表示され、それに時間指示や空間指示の副詞を付加した文が作れる程度のものである。文の否定は変化形をもたない否定語の挿入で表現される。疑問形は専用の語を使用する場合もあるが、単に文末の抑揚を上げる形で表現される場合が多い。また実際の会話では、話者の母語が句と句の間や文頭文末に挿入されることが普通である。ジャーゴンは、多くの場合、言語としても使用の面でも不安定であり、次の世代に伝えられることはない。急速に形成され、急速にすたれてしまう。ジャーゴンは、共通語として認められるものであり、社会性をもっていると言える。この点で、個人的な行為である第二言語(外国語)学習者の下手な言語使用とは異なる。また、外来語(借用語)の単なる過剰使用は、話者の母語の構造がなんらの変化も被っていないので、ピジン語とはみなされない。

（2）安定ピジン（stable pidgin）――ジャーゴンの状態と大きな違いが見出せるのは、この状態のピジン語が、その形成に関与した人びとが話す言語とは異なった形での文法要素（音声、単語と品詞）をもつに至っている点である。また、パプアニューギニアのトク・ピシン（Tok Pisin）に見られる wantok（同じ言語を話す集団、同胞。英語の one talk から転意）、wokboi（労働者。英語の work boy から転意）のような、新しい単語を創り出す力も十分に備えたものとなっている。

（3）拡大ピジン（expanded pidgin）――この状態のピジン語は、すでにその言語がもっている要素（単語、文法）を使って、日常生活で必要なほとんどすべてのことを表現することができる。また、拡大ピジンは表現内容の面のみならず、話者層の面でも広がりをもつ言語となっている。場合によっては、使用地域も拡大されたものとなる。初期から安定期に入るまでのピジン語が、特定の年齢層（場合によっては特定のジェンダー）の者が、ある状況のなかで、ある種の要求を伝え合うだけのためにもっぱら使用されるのとは違って、拡大ピジンの使用は一世代で生成消滅するものではなく、世代を超えて継承されるものとなっている。この状態のピジン語は、のちに話題とするクレオル語への橋渡しとなる場合もある。また、実際にはすでにクレオル語となっているにもかかわらず、名称が「ピジン」のままである例も見られる。パプアニューギニアのトク・ピシンがその例である。それは、ある地域の人びとの母語となっていたり、また多言語地域で共通語としての役割を果たしている。

地域によっては、ピジン語は社会的に低いイメージを与えられている。しかし、ピジン語の社会的地位は、必ずしも低いものではないことにも注意が必要だ。パプアニューギニアのいくつかの地域では、ピジン語使用者の収入が高く、羽振りがよいことなどによって、ピジン語は人びとにその地位の優位性を印象づけることになった。そこではピジン語は住民たちの積極的な学習の対象となった。この種のピジン語は消滅に向かうのではなくて、クレオル化に向かうものとなる可能性が強いものである。また、この種のピジン語形成を促したヨーロッパ語などは、彼らとは別の種類の人間が話す単なる外国語となったのだ。

（4）消滅過程ピジン（declining pidgin）――これは次のようないくつかの種類に大別される。

a　ピジン語を必要としていた地域で、外来のピジン語話者が急激に消えた場合に見られる。国交断絶、船舶航路の変更、兵員の撤退などによって、住民にピジン語を話す必要がなくなった場合は、当然、ピジン語は急速に消滅する。

b　政治や教育などの面で圧力が強く加えられる場合、ピジン語は消滅に向かう。ピジン語の禁止によって使用率が急激に減少したり、ピジン語使用地域内で、まともな外国語を話すことを政治的支配者や識者が強要したり、そうあるように指導したりする場合などである。

c　話者たちの意思によってピジン語使用が避けられるようになり、弱体化する場合がある。たとえば、ピジン語の使用を話者たち自身が恥じて、その言語に劣った価値を与えるようになった場合が挙げられる。

次章以降では、ピジン語の実例をパプアニューギニアのトク・ピシンに見てみたい。この名称は英語の pidgin talk に由来するが、多くの人びとにとってはこの言語はすでにピジン語ではなくて、クレオル語化した言語となっており、母語として生活のすべてを支えるものとなっている。

5　トク・ピシンという言語

トク・ピシンとは何か

クレオル語の話題に入る前に、ピジン・クレオル諸語と呼ばれている言語の一例をごく簡単に紹介してみたい。

パプアニューギニア（二〇一八年現在の人口は約八六一万人）には、八〇〇種以上の小さな言語が話されているとされる。その世界一の多言語国の日常生活で、もっとも重要な言語はトク・ピシン（Tok Pisin）と呼ばれる言語である。この名称は、英語の pidgin talk から出たものであることは、その語形から容易に推測できるだろう。この言語はかつてはネオ・メラネシア語とも呼ばれていた。

パプアニューギニアにおけるトク・ピシンの話者数は、数十年前の調査でも一五〇万人以上とされ、それを母語とするものは約一〇万人と言われている。トク・ピシンは異言語話者間での共通語としてのピジン語の段階を超え、現在では、パプアニューギニアの国語と呼んでもよいほどの状態に達している。住民の母語となっている地域もあるので、この言語は後に話題とするクレオル語の一種であるとすることもできるだろう。実際、多くのピジン・クレオル語分類表ではクレオル語の一種とされている。

パプアニューギニアでは、トク・ピシンの他に、公用語として使用されている英語と、ヨーロッパの言語が介在しないで形成されたピジン語の一種で、本島の南岸部で話されているヒリ・モトゥ（Hiri Motu）語（警察モトゥ（Police Motu）語とも呼ばれる）が、国内ではもっとも使用範囲が広い言語となっている。

パプアニューギニアを含めた南西太平洋地域には、世界の四分の一の言語が話されているとされるが、そこにはトク・ピシンに近いピジン・クレオル諸語が多く話されている。サモア・ピジン英語、オーストラリアのクイーンズランド・カナカ・ピジン、バヌアツ国のビスラマ（Bislama）語などはその例である。

パプアニューギニアの歴史

この地域の歴史的背景は、言語事情と同様に非常に複雑なものである。ヨーロッパ人によるニューギニア島の発見は、ポルトガル人の航海者アントニオ・ダブレウによってなされた（一五一二年）。New Guineaという名称は、その後にスペイン人航海者がNueva Guineaと呼んだことに由来する（一五四五年）。その後、この島はオランダ人（一六〇六年）、イギリス人（一六七〇年）、フランス人（一七六八年）に発見された。ヨーロッパ系の人びとによる最初の居住は短期間に終わったが、これはイギリス東インド会社によるもの（一七九三年）であった。一八八三年には、イギリスに代わって、現在のオーストラリア北東部のクイーンズランド政府が、ニューギニア島とその周辺諸島を統合した。その理由は、当時、その地域におよんできたドイツの力を牽制するためである。

しかし、イギリスはドイツと協定を結び、島の北東部をドイツ保護領、南東部（パプア）をイギリス領とした。西半分はすでにオランダ領となっていた（一八二八年）。第一次世界大戦中、オーストラリアはドイツ領での戦いに勝ち、ドイツ領を支配圏内に収めた。その後、オーストラリアは委任統治権を得て、かつてのイギリス領とドイツ領を合併して「パプアおよびニューギニア領土」とした。その地域が独立国パプアニューギニアとなったのは、一九七五年である。

トク・ピシンの起源と広がり

トク・ピシンの起源については諸説ある。一八〇〇年代に入る前に、すでにある種のピジン語がニューギニア島で話されていた記録があるが、それはトク・ピシンとは直接の関係をもたないとされている。トク・ピシンの起源は、一八八〇年頃から第一次世界大戦が始まる頃までに、ドイツ人が経営するサモア諸島の農場で働いていた労働者が、ニューギニア島やビスマルク諸島に帰島して広めたことにあるとする説などが注目されている。なお、サモア諸島のピジン語は一九六〇年に至るまでに消滅し、現在ではサモア語と英語が使用されている。

第一次世界大戦後、政府の介入は全島におよび始め、諸部族間の対立を消すことにも力が注がれた。さらに、一九二〇年代から始まったカトリックの伝導活動、そして第二次世界大戦時の軍事関係労働者の急増、多数の住民の移動などを通して、トク・ピシンの前身であるピジン語は内陸の高地にまで浸透した。一九五〇年代の半ばには、学校教育でのピジン語の使用が禁止されたが、ピジン語の浸透力はそれを上回った。新聞、ラジオなどや、政府刊行物、法廷記録、教育機関などでのピジン語の使用が増すと、ピジン語を身につけていることは社会的にも有利であるという考え方を人びとにもたせるようになった。これは、戦後日本の米軍基地周辺で話されていたピジン語が劣等感と結びついたのとは対照的である。

他の言語と同様に、トク・ピシンにもいくつかの変種が認められる。政府が関与して認められている標準語のようなものはない。地域方言としてはセピック方言、本島の北東部の方言などがある。しかし、より重要なのは、社会方言とでも言うべき変種である。現在、それらの変種を分類すると、およそ次の三種類になるだろう。

(1a) トク・ピシン・ビロング・ブス (Tok Pisin bilong Bus) またはトク・ピシン・ビロング・カナカ (Tok Pisin bilong Kanaka) ――この場合のカナカとは、「西洋文明の恩恵や影響を受けていない人びと」を意味している。この種の言語は、そのような人びとの間で使用されるものである。共通語とはいえ地域差が大きく、土地が異なると通じにくい。文法、語彙に関しては、次に述べる (1b) のトク・マスタ同様に不十分な面が多いが、トク・マスタが外 (ヨーロッパ系住民の世界) に向いているのに対して、この変種は各地の伝統的な生活文化に向いている。そのことは、この言語が部族語の影響をやや強くもっていることをも示している。

(1b) トク・マスタ (Tok Masta) ――「主人風」のピジン語。ヨーロッパ系住民が家庭や農園で、現地の人である使用人と話す場合に使う。簡単な命令や、受け答えのみに使われることが多い。ジャーゴンの一種でもある。

（2）トク・ピシン・ビロング・プレス（Tok Pisin bilong Ples）――名称は「田舎風トク・ピシン」であるが、都会の外でのという意味はない。ヨーロッパ文化の影響が少ない、本来のニューギニア風ピジンの意味である。現在の標準的トク・ピシンは、この種の言語に近い。また、これは新聞などで使用される言語でもある。

（3）トク・ピシン・ビロング・タウン（Tok Pisin bilong Taun）またはトク・スクル（Tok Skul）――「都会風トク・ピシン」とでも言えるものであるが、この名称が意味するところは「英語が達者な者が話す言語」ということで、必ずしも町の人間によって話される言語ではない。発音、語彙、文法のすべての面で、英語からの影響が強いものである。話者はその場の相手との関係、状況により、「田舎風」ピジンと「都会風」ピジンとを使い分ける。

トク・ピシンの将来

後に話題になることであるが、異言語接触はピジン語化からクレオル語化という過程を経た後に、さらに脱クレオル語化という状況に入ることがある。それは、寄与言語（トク・ピシンの場合は英語）の使用が、ピジン・クレオル語話者の社会生活で大きな力をおよぼし始める場合に多く見られる。テレビ、映画などの普及によって、多くの情報にさらされる現代的な生活状況に生きる者たちの中には、クレオル語と国際語である英語との中間にあるさまざまな言語変種を話し始める場合がある。一種の連続体を創り出すのだ。そのうちのある種の語り口は、場合によってはクレオル語の変種とするか、英語の変種と言うべきか、その判定が困難な例も見出せる。カリブ海のジャマイカ・クレオル語、南米のガイアナ・クレオル語には、その好例が見出せる。

トク・ピシンに関する本格的な研究は、一九七〇年代頃からのものである。それ以前は、ヨーロッパ人によって興味本位に「崩れた英語」として紹介されることがもっぱらであった。トク・ピシンの表現の具体例を次頁に挙げるので参照されたい。

トク・ピシンを支えている語彙の七七パーセント以上は英語、一一パーセントはトライ（Tolai）語、六パーセントが他の現地語、四パーセントがドイツ語、三パーセントがラテン語（教会用語）、一パーセントがマライ語であるという〔注──合計が一〇〇パーセントを越えるが、数値はおおよそのものである〕。しかしトク・ピシンの単語の中には、当然のことながら、元の意味とは大きく変わってしまっている例も少なくない。

この種の言語に初めて接した者は、ある種の違和感を抱くかもしれない。しかし、トク・ピシンは、現代語の一つとして新聞やテレビなどで広く使用され、この言語で表現できない内容をもつ話題はない。

トク・ピシンが今後、英語と併存してパプアニューギニアの国民の生活を支えるか、または、トク・ピシンの語彙の多くを支える英語の現代における力に負け、脱クレオル化を経て英語の一種になっていくのかは、今後の住民の心と国際情勢のあり方に大きくかかっている。

Yumi save.／私たち（全部）が知っている。
Mipela save.／私たち（だけ）が知っている。
Mi kisim pas bilong wanpela meri.／わたしは手紙を一人の女から受け取った。
＊save ←ポルトガル語の saber＝知る。
pas（←英語の pass＝手紙）は、leta（←letter）とも言う。
wanpela ← one fellow　意味は不定冠詞の a と同じ。
meri は〈女〉の意。英語の Mary からきた語ともされるが、現地語説もあり、語源不明。
bilong ← belong　もっぱら of の意味で使われる。
例）mausgras bilong boipren＝ボーイフレンドの髭。mausgras ← mouth grass（すなわち〈口の草〉）、pren ← friend

トク・ピシンの動詞の時間表現

時制／相／様態のからみあった形で表現される。基本的には、英語での意味を失った bin（←been）、bai（←by）、pinis（←finish）などの独立した時間指示詞を使って表現される。

Yu kisim pas.／あなたは手紙を受け取った。
Yu bin kisim pas.／あなたは手紙を受け取ったのだった。
Bai yu kisim pas.／あなたは手紙を受け取るだろう。
Em i raitim pas i stap.／彼は手紙を書いているところだ。
Em i raitim pinis.／彼は書いてしまった。
＊未来を表す bai は文頭に来る。
Em i rait の i は、三人称や固有名詞などが主語になると必要になる。なお、i の語源としては、英語の he に由来するという説があるが、同じ i が使われる現地語もあり、不明。
i stap は、文末に付されて進行を表す。

英語と異なるトク・ピシンの単語の例

トク·ピシン	英語	意味
brata	brother	兄弟姉妹およびイトコのうち、同性の関係にある者（例えば姉の妹）
susa	sister	兄弟姉妹およびイトコのうち、異性の関係にある者（例えば姉の弟）
kisim	kiss him	受け取る（〈キスする〉の意味はない）
pusim	push him	性行する（〈押す〉の意味はない）
kilim	kill him	強く殴る（〈殺す〉の意味はない）
stap	stop	居る、ある、残されている（〈止まる〉の意味はない）

＊him は、目的語を必要とする他動詞であることを示すもので、〈彼を〉という意味はない。

トク・ピシンの基本文

語順は、S(主語)＋V(動詞)＋O(目的)。否定辞は動詞の前に来る。

Yu kam.／あなたは来た。

Yu no kam.／あなたは来なかった。

トク・ピシンの人称の例

mi／わたし

yu／あなた

em／彼、彼女

yumi／（相手をも含む）私たち。英語の you と me。

mipela／（相手を含まない）私たち。〈私たちだけ〉の意味。me fellow に由来。

＊一人称複数は、オーストロネシア諸語に見られる包括形、除外形をもつ。

6　クレオル語の多様性

クレオル語を見てみると

異言語接触によって、ある期間内にピジン語が生み出されることがある。多くの場合は、そのピジン語は形成後の社会環境の変化で消滅してしまう。しかし、なかにはそのピジン語が力を増し、その土地で話されていた従来の言語を駆逐してしまい、話者の唯一の母語となってしまうこともある。そのような言語はクレオル語と呼ばれる。ピジン語の話者は当人の母語とピジン語の二言語使用者であるが、クレオル語は話者にとっての唯一の言語であることが普通である。しかし、現実のクレオル語の使用地域では、場所によってはそれがピジン語としても使用されている例が多くみられる。

前に紹介したパプアニューギニアのトク・ピシンはその一例で、その中心的な語彙提供言語(lexifier) は英語である。その例はおよそ次のようなものとなる。

トク・ピシン　Mi kisim wanpela pas.
英語　I received a letter.

この例文を見てみよう。

mi は、英語の me から来たもので、I と同意。
kis- は、英語の kiss（キスする）から転じたもので、「受け取る」の意味に使われる。
-im は、英語の him に由来する。しかし「彼を」という意味はなく、単語で何であれ、目的語をとる他動詞に付される。たとえば、luk（見る）という他動詞に yu（あなた）という目的語がくると Mi lukim yu.（わたしはあなたを見る／見た。）となる。
wanpela は、英語の one と fellow から形成された語であるが、トク・ピシンでは英語の a という不定冠詞とほぼ同じ意味で使われる。
pas は英語の pass からの語で、もっぱら「手紙」の意味で使われる。

なお、この例では時間を指示する意味要素は見られない。このような文は「事実」を意味し、現在と過去の意味をともに含む。

英語を語彙提供言語としたこの種のクレオル語の例をこうしてあげていくと、クレオル語というものは単に単語の変化形の部分が省略されたりして単純化され、文法が一定になってしまっているだけの言語ではないか、という見方が出てくることも避けられない。フランス語やポルトガル語、スペイン語などのインド・ヨーロッパ諸語が、アフリカや太平洋諸島の言語などと接触した結果として形成されるクレオル語の場合も、それがインド・ヨーロッパ諸語との接触であるということで、たとえば語順が同じ型を示すのは当然、という見方がある。しかし、一般的には、いかなる文法構造をもっている言語でも、異言語接触の結果、クレオル語となったものの仕組みは同じようなものになる傾向が強いことには注意が必要であろう。

ただし、そのような言語の実例をここであげることは、いくつかの点で面倒な問題に直面する。たとえば、日本語や中国語や英語の場合、基本的には個々で独立している単語（および、語尾変化などの変化形をともなった単語）が、汽車の車輌のようにはっきりとした連鎖をなして句や文が作られている。しかし、これらとは非常に異なった構造をもつアジア、アフリカ、アメリカ大陸に見られるような言語を、読者が知らないということに起因する問題がある。それを説明するには、特別な音声表記やある程度の文法学的な知識を必要とすることになってしまい、無駄な複雑さを読者に強いることになる。

さらに、現実にクレオル語化が起こる場合は、文字通りの二言語接触ばかりではなくて、数十種という基層言語（substratum）と、語彙の寄与面で関与した言語（superstratum）の複雑な接触であるという点もある。

クレオル語化のモデル

しかし、例はすっきりとしたものでなくてはならない。そのことを考慮に入れた次の表1と2は、クレオル語化は、このようになる傾向が強いというモデルと、それに実例を加えたものである。

表1は、日本語と英語が接触した場合のモデル、表2は、アラビア語とスワヒリ語という非常に

異なった言語が接触した場合のモデルと、実際にそのように形成された言語であるヌビ（Nubi）語の実例である。ここで言う「非常に異なった言語」とは、日本語や英語、フランス語のような言語の話者から見て、まるで異なった文法をもつ言語であることと、クレオル語形成に関与したアラビア語、スワヒリ語という二言語も、互いにまるで異なる文法をもつ言語であることを意味する。

表2に示したクレオル語の関与言語は、主にアフリカのナイル・サハラ語族に属す諸語やバントゥ諸語であり、語彙提供言語はアラビア語である。スワヒリ語は、バントゥ諸語の一例であり、東アフリカ一帯で住民に母語として、または共通語として話されている。ここでは、スーダン南部からウガンダにかけて、二〇世紀初頭の英国植民地時代に、東アフリカ各地から集まった異言語話者からなる混成部隊の兵隊たちが話していたさまざまな言語がもつ文法形成を代表させる意味で、スワヒリ語を取り上げた。

実例としてあげたヌビ語の話者は、スーダンからウガンダへ、さらにケニアへと半世紀ほどかけて移動した。その後、その一集団がケニアのナイロビ郊外に定住し、少数の人びとがヌビ語を母語として話している。ヨーロッパの言語が一切関与していないアラビア語語彙系のクレオル語である。

クレオル語の変種

クレオル語は歴史過程のなかで形成される言語であり、その形成や存続にともなう文化環境からの影響を強く受けている。そのような観点からクレオル語を分類すると、基本的には三種類の変種があることが指摘できる。

○スワヒリ語の文の構造

Taro						／太郎
–	a –					／彼は
–	–	-li-				／（過去）
–	–	–	-ni-			／わたしを
–	–	–	–	-pig-		／ぶつ
–	–	–	–	–	-a.	／（動詞変化形・肯定形）

○上記のアラビア語・スワヒリ語の接触でクレオル語化するときのモデル（アラビア語語彙系の場合）

Taro daraba ana.　　／太郎はわたしをぶった。

Taro kan daraba ana.

＊daraba＝アラビア語〈ぶつ〉の三人称単数過去形。同じく ana＝〈わたし〉、kan＝英語の be 動詞の三人称単数過去形に当たる。過去形は kan なしでもよい。

＊語彙寄与言語となったアラビア語はスーダン南部方言であるべきだが、標準的なアラビア語と構造面では同じなので、ここではそれで代表させた。

○アラビア語とスワヒリ語が関与したクレオル語であるヌビ語（アラビア語語彙系）の実例

Taro dúgu áána.　　／太郎はわたしをぶった。

Taro káan dúgu áána.

＊dúgu＝〈ぶつ〉で、アラビア語の daraba と同意。káan と áána は、上のモデル文の kan および ana と同じ。文の仕組みは上記のモデル文と同じ。

表1
日本語・英語の接触によるピジン・クレオル語化のモデル

日本語	タローは　わたしを　けった。	文の構造はS.V.O.
英語	Taro kicked me.	文の構造はS.V.O.

○ピジン語化するときのモデル
日本語語彙を基盤とした場合
タロー　わたし　ける。　S.V.O.
英語語彙を基盤とした場合
Taro:　kikku　mi:.　S.V.O.

○クレオル語化するときのモデル（英語語彙系の場合）
Taro kik mi.　S.V.O.　または Taro bin kik mi.　S.V.O.
＊bin＝英語の be 動詞の過去分詞 been から。

表2
文法が非常に異なる言語の接触によるクレオル語化のモデル

アラビア語　darabani Taro.　／太郎はわたしをぶった。
スワヒリ語　Taro alinipiga.

○アラビア語の文の構造

d － r － b －	／ぶつ、殴る
-a-　-a-　-a-	／彼（三人称単数・動詞過去）
－　－　－　－ ni	／わたしを
－　－　－　－ Taro.	／太郎は

（1）語彙提供言語から最も遠いものとして知覚されるクレオル語。それはある種の「崩れた言語」として見られることは少ない。発音、単語、文法のすべての面で充実した形をもつ言語で、本物のクレオル語であるとされる。「バシレクト（basilect）」と呼ばれる。

（2）一般的に、クレオル語化の後に現われる言語で、語彙提供言語に発音、語彙、文法面で近いもの。クレオル語であるというよりは、語彙提供言語の方言のようなものではないかと判断される例もある。「アクロレクト（acrolect）」と呼ばれる。

（3）以上の二例の中間に当たるようなクレオル語。「メソレクト（mesolect）」と呼ばれる。あるクレオル語地域では、話者により（1）との併用が見られる。その使い分けは当人と相手との社会的な地位関係や、ヨーロッパ式の生活を好む話者の社会生活での優位性を仲間に示すためのものであったりする。

クレオル語と語彙提供言語との連続体の形成

また、このような三種類のクレオル語が共存する地域の人びとや、行政、教育、マスコミなどを通じて日常的に語彙提供言語が身辺で話されている土地に住むクレオル語の話者は、各々のクレオル語の変種と寄与言語そのものとの間に、「連続体（continuum）」を成す多数の語り口を形成させることもある。つまり、もっともクレオル語的であると見なされる言語と、もっとも標準語的な語彙提供言語との中間には、クレオル語であるのか、それとも語彙提供言語の一方言なのか、区別が難しい例が見出される。ガイアナのクレオル語と英語との関係にはその状況が見出される。

南米大陸の太平洋沿岸部、ブラジルの北部に隣接する土地は、かつて「ギアナ」と呼ばれていた。その地域は、現在では三つの国に分かれている。すなわち、ガイアナ、スリナム、フランス・ギアナである。これらの地域では、カリブ海域からもち込まれたクレオル語、それが後に変化したクレオル語、クレオル語と土地の言語との接触で生まれたピジン語を経てさらに新たに形成されたクレオル語――など、非常に複雑な背景をもった数種類のクレオル語が話されている。さらに、その地域のクレオル諸語は、すべて英語を語彙提供言語とするものであるが、日常生活で住民が接する行政、教育、マスコミなどでの使用言語の方は、ガイアナ（語彙提供言語である英語を使用）を除けば、スリナムではオランダ語、フランス・ギアナではフランス語といったように、住民が話す英語語彙系のものとは異なった言語である。

クレオル語は、単一の姿をしているものではなく、常に変化のなかにある。クレオル語として安定した後には、「脱クレオル化（decreolization）」や「再クレオル化（recreolization）」に向かうことがある。また、異言語接触などによる空間的な広がりのなかで変種、すなわち方言をも絶え間なく創り出していくのである。

7　クレオル語とさまざまな変種

クレオル語から脱クレオル語化へ

文法構造が大きく異なった二種以上の言語の接触は、ピジン語を形成することがある。そのピジン語化が、立ち消えにならずに進行すると、クレオル語と呼ばれる新しい言語になる例も少なからず見出される。

ピジン語化の過程には、（a）初期ピジン語（またはジャーゴン）→クレオル語、（b）初期ピジン語（またはジャーゴン）→安定ピジン語→クレオル語、（c）初期ピジン語（またはジャーゴン）→安定ピジン語→拡張ピジン語→クレオル語のようなコースがある。ただし、安定ピジン語の状態を欠くクレオル語化の例は多い。

この過程は、クレオル語の誕生を終点として完了してしまうのではない。ピジン語化、クレオル語化の過程でも、発音や文法形式上の変則が常に生じる。それは文法上は「不規則形」として認められるものであったり、社会的に見れば「逸脱」であるとみなされるような用法であったりする。それらは「気取っている」、「田舎っぽい」などといった社会的評価をともなう。

クレオル語が誕生すると、一層大きな揺らぎがその後の変化を促すこともある。その延長線上に生じるのは、大別すれば次の四種となる。

（1）ほぼ一定の形で存続する。

（2）別の言語と接触をもつようになり、その結果、消滅してしまう。

（3）さらに充実した語彙、文法項目を備えて、普通の言語としての形を整える。

（4）他の言語、特に語彙寄与言語との接触を続けるうちに、それに融合、吸収されてしまう。すなわち、語彙寄与言語そのものになってしまうか、その一変種となってしまう。

クレオル語がたどる道に関する話題としては、（3）と（4）が重要である。それらはクレオル語に発音上、文法上の変化を促すからである。（4）は「脱クレオル語化（decreolization）」として知られている。

脱クレオル語化は、言語自体への、話者の態度のあり方が影響して起こる場合もある。話者というものは、個人背景や事情を取り込んだ話し方を、意識的・無意識的にするものだからである。また、言語は既成のものから時代にそぐわない形を見捨て、新たな形に変貌していく。それは必ずしも話者の明確な改良意識や特定の目的意識をもってなされるものではない。その言語の使用地域における外的な要因、たとえば政治や教育、宗教などの生活文化の変化に対応する必要から起こるだけのものでもない。自分はこんな人物だ、といったような他者との差異を主張する行為によっても、言語は形を変えていく。ある用法は使い古されたものとされ、飽きられてしまう。そして、それまでになかった枝葉が、発音や文法に加えられる。時には、文法のあり方さえも変えてしまう。

言うまでもないが、短い期間に少数の人びとのみに関係する変則例が出た場合は、それは単なる逸脱として記録されるだけである。しかし、その逸脱が人びとの間に広まり、一般的用法として日常の生活に組み入れられてしまえば、それはその言語の普通のあり方として認められることになる。なぜなら、言語は、規範形を中心としてさまざまな形式が存在するのではなくて、さまざまな形式のなかに人が規範形を認めるものだからである。

脱クレオル語化のようなものは、時代の移り変わりのなかで見られると同時に、他の言語との接触においても見られる。異言語接触→ピジン語化→クレオル語化という過程を、その他の言語との関係を一切もたずにたどる例は、現代の社会状況ではほとんど見られない。ピジン語の場合は、話者はもともとなんらかのレベルでバイリンガル（二言語使用者）なので、自分の母語とピジン語の相互関係を切り離すことはできない。たとえば、「わたしはそれを見た」は、英語では I saw it. である。その文は、日本語と英語の接触によるピジン語になると、

Ai shii itto.　(ai は mi: の場合もある)

のように日本語そのものの発音で言う者もいるだろうし、

Ai sii itto.　または　Ai sii it.

のように、文の一部、またはそのほぼ全部を英語式の発音で話す者もいる（文中の動詞は、ピジン・クレオル語では過去を示す）。

同様の現象は、クレオル語の場合にも見られる。クレオル語の話者の周辺では別の言語が日常的に使用されているからだ。その場合、クレオル語が接触するのは、社会的に見て優勢なもの、または威信がある言語である。その話者が属す国の国語や公用語のようなものであったり、ピジン・クレオル語話者たちの仕事の場での共通語であることが一般的である。さらにそれが教育の場で使用される言語である場合、その影響は特に強いものとなる。

脱クレオル化の背景――多言語の共存

現在、ある言語集団が、自分たちの言語以外の言語とは完全に切り離されて生活するということはありえない。それは、話者の言語使用に直接的な影響を与えるテレビのようなメディアの普及が世界規模で進んでいることを考えるだけでも充分であろう。言語の鎖国状態は現在では不可能なのである。

二種類以上の言語が同じ地域で使用される場合、それらが文字通りに異なった言語であるという例はごく普通に見出せる。ここでの「異なった」という意味は、語族が異なるとか、同じ語族の言語でも文法形式などに大きな違いのある言語ということである。

クレオル語地域でも、クレオル語とその語彙寄与言語（クレオル語のなかの単語を圧倒的な率で文える言語）ではない言語との共存という例は多い。その大きな要因には、過去の奴隷貿易や植民地政策の変更によって、住民の支配層が次々に交替したことがあげられる。たとえば、南アメリカのフランス・ギアナで話されている英語語彙系クレオル語（ボニ（Boni）語など）は、その土地の主人となったフランス人の言語であるフランス語と共存するようになった。その隣の国、旧オランダ植民地スリナムで話されている英語語彙系クレオル語（スラナン（Sranan）語、ンジュカ（Njuka）語、サラマッカ（Saramaccan）語）と共存するのはオランダ語である。

こうした例とは別に、クレオル語とその語彙寄与言語が共存する例も普通に見出せる。カリブ海域のハイチでは、フランス語語彙系のハイチ・クレオル語（Haitien）とフランス語が共存する。南米北東部のガイアナでは、英語系クレオル語であるガイアナ・クレオル語（Guyanese Creole English）と英語が共存する。

このような、語彙を基本的には同じものとする二（あるいはそれ以上の）言語使用地域での言語使用のもっとも簡単な例は、同一人物が相手によってそれらの言語を使い分けるというもので、その場合、会話は一言語のみでなされる。しかし、実際の言語使用というものは、そのように明解にいくものではない。発音に社会的な意味合いをもたせたり、別の言語からのしゃれた単語や句を、原語のままの形で混ぜるといった行為も普通に見られる。それとは別に、現実の二言語使用社会では、多くの場合、話者が話題の種類によって言語を切り替えるということも普通である。

多言語の使い分け――バイリンガリズムとダイグロッシア

同一社会内で二言語が関与する話題としては、まず「バイリンガリズム（bilingualism）」と「ダイグロッシア（diglossia）」に関するものが代表的な例としてあげられる。しかし、これらはともに二種（以上）の言語の使い分けの話題で、言語の相互影響に関するものではない。「バイリンガル」であるということは、ある人物がなんらかの意味で二言語を別々に使うことができるということである。それは、基本的には二つの異なった言語を使い分ける個人の話である。これに対してダイグロッシアは、広い意味では成員すべて二方言、または二言語の話者である社会での、話題による言語の使い分けを指し、基本的には相互間の影響は話題に入らない。たとえば、アラビア語とフランス語のバイリンガル社会における会話では、学校の宿題の話になるとフランス語になり、先生の悪口に話題が変わると途端にアラビア語になってしまうといったような、言語の使い分け（ダイグロッシア）が観察されるのだ。このような言語の使い分けは、当然、ある種の社会的な価値観に支えられている。

人は、ある言語を使って互いに通じさえすればよいというのではなくて、話者の社会背景を言語自体に込めて使う。そのことによって、互いに同胞としての帰属意識、同類の仲間意識を感じたり、相手に優越感を与えたりする。言語に、自分の性（ジェンダー）や年齢、政治、教育、宗教などの背景や、自分の経済的状態をも込めて表現したりする。

クレオル語とその語彙寄与言語が共存する場合、後者は社会的に大きな力をもっている場合が多い。そのような地域では、バイリンガルやダイグロッシアとは異なるあり方での「脱クレオル語化」が見られることになる。それは、語彙寄与言語の標準的な語り口と、もっともクレオル語的な形式をもつ語り口との間に、多数の「変種（varieties）」を創りあげるものである。それは、「クレオル連続体（continuum）」という名で知られている。

ジャマイカでは、英語語彙系クレオル語と一般的な英語（すなわち、その時代のイギリス領土での、イギリス色の強い英語の一変種）が長い間共存した。日常会話はクレオル語でなされているが、読み書きや仕事の場では、英語を使う環境にいる人びとも少なくはなかった。そのような場では、標準英語の I didn't eat. にあたるジャマイカ・クレオル語の Mi na nyam non. は、

Ai didn non.
A in nyam non.
Mi in nyam non.

などという文で表現される。

次ページの表に示したものは、南米の北東に位置する国、ガイアナでの英語語彙系クレオル語の連続体であるが、この表からは同じ内容を表現する文が一層複雑な形で現われていることが見てとれるであろう。そこでは、標準的な英語の文 I gave him one. に相当する文には、

aɪ geɪv him wʌn. （表の横列1に対応）
a gɪv i: wan. （7に対応）

1	aɪ				wʌn
2				him	
3		geɪv		ɪm	
4				i:	
5				hɪm	
6	a	gɪv		ɪm	
7					
8		dɪd	gɪv	i:	
9		dɪ			
10		dɪd	gɪ		wan
11			gi:		
12					
13		dɪ		hi:	
14			gɪ		
15	mɪ			i:	
16		bɪn			
17			gi:		
18				æm	

ガイアナでの英語語彙系クレオル語の連続体
（出典：Bell, R. T.（1976）*Sociolingnistics*, Batsford）

mɪ dɪ gɪ i: wan.　（14に対応）
mɪ bɪn gɪ i: wan.　（15に対応）
mɪ bɪn gi: æm wan.　（17に対応）
mɪ gi: æm wan.　（18に対応）

など、一八種類もの形式が存在する。

こうした連続体を見ていくと、これらの変種のどこからが語彙寄与言語の「方言」（空間変種としての地域方言（dialect）と、対人的変種としての社会方言（sociolect）を含む）なのか、また、どこからがクレオル語の「方言」なのかが決め難いものとなる。

クレオル連続体の分類

このようなクレオル連続体のあり方を、クレオル語の側から見ると、

①もっともクレオル語的な形式をもった「基層語（basilect）」、②語彙寄与言語と典型的なクレオル語との中間と見られる「中間層語（mesolect）」、③寄与言語とほぼ同じか、またはそれにきわめて近い「上層語（acrolect）」という、クレオル語の基本三変種として分類される。表を例とすれば、一番上の例（英語）が③の上層語、一番下の例（クレオル語）が①の基層語となる。そのあり方は言語の形式上の変種を示すのみではなくて、話者が属す社会での優劣の順位をも示すものである。また、基層語の諸変種と語彙寄与言語の諸変種との間には、異なった文法システムが見出せるので、それらの間に「連続体」を想定することを疑問視する研究者も少なくない。

クレオル語の進路には、以上の他にも「再クレオル語化（recreolization）」とでも呼べるものが生じることがある。たとえば、イギリス各地（ロンドン、バーミンガムなど）に住みはじめた大量の移民とその二世たちが話すクレオル語である。それは、英語が話されているイギリスという土地で、カリブ海域の英語語彙系クレオル諸語が接触し、互いに影響を与えながら形成されてきたもので、カリブ海域、アメリカ、アフリカなどの出身の黒人たちの間で話される「新クレオル語」と言えるだろう。

8　ピジン・クレオル諸語の背景

世界に広がるピジン・クレオル諸語

現在、世界で話されているピジン・クレオル諸語、またはある程度正確な記録が残されている過去のピジン・クレオル諸語は、ほとんどが一六世紀以降に形成されたものである。コロンブスの時代以後とも言えるだろう。

それ以前に形成されたピジン・クレオル語も多数存在したに違いない。しかし、その具体例を示すことは難しい。また、言語というものがピジン語化、クレオル語化する性質を本質的にもっているることを認めるならば、その形成は、言語そのものと同じほどの長い歴史を通じて、世界各地で繰り返されてきたことになる。

過去五〇〇年ほどの間、ピジン・クレオル語の形成を促した異言語接触のほとんどは、ヨーロッパの特定の一言語と第三世界の複数の言語によるものであった。つまり、インド・ヨーロッパ語族に属す一種類の言語と、アフリカ、南北アメリカ、カリブ海域、太平洋諸島、アジア大陸沿岸部などのどこかの地域で話されている複数の言語との接触によるものだったのである。

インド・ヨーロッパ語族のうちでも、ピジン・クレオル語の形成にもっとも深く関与しているのは、ポルトガル語、フランス語、英語である。そのほか、オランダ語（ネーヘルホーランス（Negerhollands）語＝米領および英領ヴァージン諸島）、イタリア語（エリトリア・イタリア語ピジン（Eritrean Pidgin Italian）＝エリトリア）、ドイツ語（ウンザードイチュ（Unserdeutsch）＝ラバウル）などが関与した例が見られるが、その数はきわめて少ない。

このことで注目すべきなのは、かつて世界の「海の王者」の地位を競ったスペイン人が話したスペイン語との間に生まれたピジン・クレオル語の例が、非常に少ないことである。南米のベネズエラ北西岸に近いカリブ海のＡＢＣ諸島（アルーバ島、ボネール島、キュラソー島）で話されているパピアメントゥ（Papiamentu）はその珍しい例であるが、それも「ポルトガル語・スペイン語クレオル」とされている。これらの島々では、パピアメントゥのほかに、オランダ語、スペイン語を自由に使い分ける者が多い。またフィリピンの南部でも、いくつかのクレオル語（テルナテーニョ（Ternateño）など）が形成されたが、それも「ポルトガル語・スペイン語クレオル」と分類されている。すなわち、はじめにポルトガル語との接触でピジン語化が見られ、後に語彙がスペイン語のものに再編成された言語とされているのである。

このようなヨーロッパの言語との接触で形成されたピジン・クレオル諸語の場合、ヨーロッパの言語と出合ったもう一方の言語もまた一種類であったという例は、ほぼ存在しない。たとえば西アフリカでフランス語と接触したのは、沿岸部の大小多数の言語であり、それらは異なる語族に属す言語であることも珍しくなかった。

ピジン・クレオル諸語形成の背景

ピジン・クレオル諸語の形成史の背景には、港などでヨーロッパ人と友好的に接するさまざまな地域出身の貿易商人や港湾労働者などがいただけではなかった。大西洋奴隷貿易に見られるように、輸送の途中の船内や目的地の労働現場で起こりうる奴隷の反乱を避けるために、一つの奴隷集団のなかに、互いに言語が通じない者や敵対する部族出身者を配置するというような配慮をヨーロッパ人が行ったことによって、当人たちの意図に反して集められた、複雑な言語的・社会的背景をもつ人びともいたのである。

奴隷貿易。多くのピジン・クレオル諸語の歴史は、この悲惨な貿易やそれにまつわる制度の話を抜きにしては語ることができない。それは西アフリカ沿岸地帯、インド洋諸島、カリブ海域、そして南北アメリカ大陸の大西洋岸では、ごく普通のことであった。ということは、多くのピジン・クレオル語の形成史は、海の文化史とも密接に結びついているということでもある。

しかし、ピジン・クレオル語は、海からも遠く、ヨーロッパとの直接的な関係も薄い地域でも、現地の諸語の間で形成された。もっとも、そのような異言語・異文化接触が見られた地域でも、ヨーロッパ社会とまったく無縁だという所は一八〇〇年代には存在しなかったとも言えよう。世界の情勢は、すでに政治や経済の国際化をそうした土地にも浸透させてしまっていたからである。しかし、その社会のなかに入ってしまえば、個々の人びとの日常生活は、ヨーロッパの存在を感じさせることもなく送られていた。そうした環境のなかで、それらの地域ではヨーロッパの言語以外の諸言語が複雑な形で接触し、ピジン・クレオル語の形成をうながしたのである。

たとえば、東アフリカのタンザニアのンブグ（Mbugu）語は、内陸で、アフロ・アジア語族の一種（クシ諸語の一つ）とバントゥ諸語の一種との接触によって形成されたクレオル語である。

アフリカの赤道以北、サハラ砂漠の周辺にその例を見てみよう。そこは、土地の面積に対する人口は非常に少ない。砂漠は、ほとんどの土地が人間の住める所ではないからだ。しかし、言語数となるときわめて多く、複雑な分布状態を示している。とくに西アフリカでは現在のチャド、東側ではスーダンの南部に、多数の小言語集団が散っている。

そのような言語と併用されているのは、国語や公用語や共通語としてその土地の人びとに話されているアラビア語の各方言、変種、そしてさまざまなピジン・クレオル諸語なのである。これらの地域はイスラム教国であり、黒人世界であり、現在の国家体制のなかでは少数民族として政治的には弱い立場にいる人びとが住む土地である。

この地域におけるアラビア語の方言、変種、ピジン・クレオル語の話題は、二つの時期に分けて考える必要がある。

その第一期は、古典アラビア語と呼ばれるアラビア語の形成や、何種類もの方言差の誕生（そのなかには、変種、ピジン・クレオル語を含む）をめぐる話題である。古典アラビア語については、ベドウィンが話していたアラビア語方言（または変種）であったとする説がある。また方言差に関しては、地中海や中東地域へのアラビア語の浸透が見られた当時、圧倒的多数を占めていた非アラビア語（ペルシア語、コプト語、ベルベル語など）の話者からの影響を受けることによって、各方言、変種、ピジン・クレオル語が形成されたという説などがある。

ここでは、ピジン・クレオル諸語の話題により近い関係を示す第二期に、アフリカで見られた例をとりあげてみよう。

アフリカでは、一四〇〇年ごろから始まって、一六〇〇年以後にはもっとも盛んになったエジプトの遊牧民の南下による例が注目される。彼らはスーダンを通過してチャドに到達した。その結果、もっぱらチャドの都市部で話されていたアラビア語が都市の外部にも広がったのみではなく、各地で話されていた現地語との接触でピジン化されたアラビア語が話されるようになったと推測されている。しかし、本格的な異言語接触は一八〇〇年代に入ってからであった。

当時、イギリスはエジプト人を、フランスはアルジェリア人を起用した軍隊をつくりあげ、アフリカ中央部に侵略行為を拡大していった。その際に、周辺地域から多数のアフリカ人を兵士として参加させた。その結果、非常に複雑な異言語接触が展開されたのである。

そのときに見られた基本的な異言語接触は、軍の指導者が話すヨーロッパ語と現地語によるものではなく、軍隊内で実際に指揮をとるアラブ人の軍人たちによって話されていたアラビア語方言と、兵士たちが話すアフリカ諸語との接触であった。そして、そこに生まれたピジン語は、アラビア語語彙系のものであった。

アラビア語語彙系ピジン・クレオル語

こうした環境のなかで生まれたピジン・クレオル語としては、次のようなものがある。

(1) ビンバシ・アラビア (Bimbashi Arabic) 語——スーダン征服を企んだオスマン・トルコのエ

ジプト総督が、一八二一年に上エジプトのヌビア地方で徴兵した際に、軍隊内で形成されたピジン・アラビア語。イスラム化したアフリカ人兵士は独自の集団をつくり、その言語を日常生活で使用するようになった。それは後に三種類に分かれ、それぞれクレオル語化していった。

(2) ビンバシ・アラビア語の変種——(a) スーダンの南部の赤道(エクアトリア)州の中心地ジュバで話されるようになったクレオル・アラビア語 (Juba Arabic)。(b) イギリス軍側についてウガンダに移動(一八八八〜一八九〇年)したアフリカ人兵士たちによって話されていたクレオル・アラビア語(ヌビ(Nubi)語)。(c) 一八〇〇年代末に、ウガンダからケニアに入ったヌビ人の兵士たちが話していたクレオル・アラビア語(ヌビ語、ウガンダのものと同名)。

(3) トゥルク(Turku)語——チャド南部で話されているピジン・アラビア語。フランス軍に属すアルジェリア人兵士とアフリカ人兵士との間に形成された。

そのほか、チャド北西部のテクルル(Tekrur)語、チャド中央部ピジン (Central Chadic Pidgin Arabic)、ナイジェリア・ピジン・アラビア語 (Northeast Nigerian Pidgin Arabic)、エチオピア・アラビア語ピジン (Ethiopian Pidgin Arabic) などがある。

以上のなかで、ウガンダとケニアの数ヵ所で現在も話されているヌビ語は、もっとも注目されている。それは、アラビア語語彙系クレオル語の代表的な例である。

スーダン南部で非常に多様な言語背景をもつ人びとによって軍隊内で形成されたヌビ語は、スーダンの口語であるアラビア語の話者とは互いに通じないほど遠い言語となっているが、その語彙の大半はアラビア語からのものである。

ヨーロッパの政治情勢の変化とともにスーダンから南下して、東アフリカに在住するようになったヌビ語話者の人口に関する正確な資料は存在しないが、ウガンダとケニアにおよそ三万から五万の人口が存在すると推定されている。そのうち、現在、ケニアのナイロビのキベラ地区に住むヌビ人は六〇〇〇人ほどである。彼らは、歴史的には雑多な部族集団から形成された集団であるが、現在はヌビ人としての強いエスニック（民族的）・アイデンティティをもつ人びとである。

ヌビ人の顕著な特徴としては、ヌビ語を母語とすること、イスラム教徒としての強い信念をもつこと、基本的には都市生活者であること、強い民族的・文化的忠誠心をもち、近隣のアフリカ人たちよりも優れた人間であると自負していること、などがあげられる。食事や装い、ダンスなどの文化項目に加えて、自分たちの言語であるヌビ語に対する関心がきわめて高い。また、結婚は原則的にはヌビ人同士のものとされ、ほかの集団に属す者との結婚は避けられる傾向がある。ただしナイロビなどでは、イスラム教徒のキクユ族の女性とヌビ人男性との結婚のような例には寛容である。

またヌビ人は、ヌビ人同士の間ではヌビ語の使用を重視するが、他の集団の人びととの接触においては、基本的にはスワヒリ語を使用する。ただし、場合によっては相手の言語を使用する傾向が強い。東アフリカの諸部族のなかでも、とりわけ多言語使用の顕著な集団であると言える。たとえば、東ウガンダのグル地方に住むヌビ人のなかで多数の言語を話す者の割合は、ほぼ一〇〇パーセントにのぼると考えられており、会話能力を十分にもつ言語だけでも、成人一人が三言語以上と推定されている。

さらに、ヌビ人のなかには全般的にスワヒリ語を話す者が高い割合を占めている。スワヒリ語の習得率については、性別や年齢などによって差が見られる。このようなスワヒリ語の浸透の背景としては、スワヒリ語がヌビ人の生活する都市でもっとも多く共通語として用いられている言語であること、小言語集団の話者にはスワヒリ語を身につける者が多いことがあげられる。加えて、東アフリカ沿岸部のイスラム地域で形成されたスワヒリ語は、イスラム教徒であるヌビ人に精神的に近いことも影響を与えているだろう。

ヌビ語のような例を見ていくと、クレオル語は異言語接触の場での複数言語使用から始まり、ピジン語化、クレオル語の誕生、唯一の母語としてのクレオル語の使用、という過程をたどるものでは必ずしもないことが分かってくる。複数言語がつねに併存する環境のなかで、複数の言語を使用しながらも、それと同時にクレオル語の形成と使用を強化している例も現実には見られるのだ。

9　多言語社会のクレオル語

クレオル語と多言語の共存

クレオル語は、異言語接触の結果として形成されることがありうる言語である。また、クレオル語の使用地域では、クレオル語化に関与した諸言語は消滅し、基本的にはクレオル語が住民の唯一の母語となる。

カリブ海のイスパニオラ島は、西側の三分の一がクレオル語を話すハイチ、残り三分の二はスペイン語を話すドミニカ共和国である。そのハイチでは、奴隷貿易と奴隷制度を通じてフランス語と多数の西アフリカの言語との接触で形成されたハイチ・クレオル語が、すべての国民にとっての唯一の生活言語である。公用語であるフランス語はごく少数の国民にとっての第二言語であり、仕事や特別な社交の場で使用されているにすぎない。すなわち、国内に多数のクレオル語話者と少数のフランス語話者が共存するというのではなく、クレオル語話者のなかにフランス語も話せる人が少数いるということなのである。

しかし、現在このような「一国一クレオル語」と言える例は、国単位ではもちろんだが、国内の一地域にかぎっても珍しい。パプアニューギニアのトク・ピシン（Tok Pisin）、西アフリカのウェスコス（Weskos）語のような例では、それを母語とする者が増えているとはいえ、基本的には多数の現地語と併用される一種のリングァ・フランカ（共通語）として存在する。

このような多言語地域におけるクレオル語の代表的な例は、モーリシャス・クレオル語（kreol morisyeñ［フランス語では le créole mauricien］）であろう。モーリシャス国内では、普通は単に「クレオル（Kreol）」と呼ばれている。この言語での出版物はそれほど多くはないが、いくつかの手軽な辞書（英語またはフランス語対応）のほか、かつてこの島国を訪れたこともあるフランスの詩人、シャルル・ボードレールの詩集『マスカリーン諸島詩集』、シェイクスピアの『オセロ』などの対訳版も出版されている。

モーリシャスでは、ほぼすべての国民が日常生活ではクレオル語を話す。しかし、現在の公用語は英語となっている。さらに、都市部では、多くの人が英語よりはフランス語を読み、書き、流暢に話す。町の書店で見かける本は、圧倒的にフランス語のものである。実際、自国の公用語である英語を母語とする国民は、人口のわずか〇・二パーセント強、すなわち一〇〇万人につきわずか二千数百人にすぎない。残りの者は、自分の母語としてではなく、「第二言語」として英語を話す。英語の使用能力レベルには、話者の社会背景によって大きな違いが見られる。ちなみに、フランス語を話す者の数は多く、英語話者の二〇数倍と言われている。

モーリシャスの歴史と言語

そのモーリシャスの状況を、クレオル語の背後にある社会状況に焦点を当てて、もう少し詳しく見てみよう。なお、ここでの話はモーリシャス本島のものであり、モーリシャス領には含まれるが本島から五〇〇キロも離れた孤島のロドリゲス島や、その他の小島の話題は含まない。

モーリシャスは、れっきとした国連加盟（一九六八年三月）の独立国で、一九九七年の人口は約一一五万人とされる〔現在は約一二六万人〕。モーリシャス国の本島の面積は一八六五キロ平方メートル。そこは二〇〇キロメートルにもわたる珊瑚礁の海岸に囲まれている。砂浜が多く、長さは一六〇キロメートルになる。山も多いが、標高八〇〇メートルに達しない。町を離れると、島内はどこを見ても砂糖黍畑、その向こうには奇妙な形の山が見えるという景色が広がる。

無人島であったこの島の発見時期には諸説あるが、一五一〇年前後にポルトガル人が発見したとする点では一致する。そのポルトガル人が島に足を踏み入れたのは一五一一年頃である。それ以前にも一五世紀のアラブ人による島の発見記録などがあるが、その話はクレオル語の話題からは遠い。

ひと言で言えば、その後の歴史は「複雑」そのものである。簡潔に流れを追うと、まず、ポルトガル人の入島の後、「オランダの時代」となる。一六三八年、オランダのナッソウ家のマウリッツ総督にちなんで「マウリティウス」と名付けられたこの島に人間が住みはじめた。一六三九年に島で初めての子どもが誕生。生粋のモーリシャス人の誕生である。船員たちの手で鹿、豚、羊、家鴨、鵞鳥などが次々に島にもち込まれ、砂糖黍の栽培が始められる。アフリカ方面からの奴隷の輸入も行われていた。しかし、オランダは営利上、治安上の問題などからこの島への植民政策を放棄した。

次いで「フランスの時代」となる。一七一五年、フランスはルイ一四世の名のもとに島を占領。そこをイール・ド・フランスと命名。港湾都市ポール・ルイ〔現在の首都ポート・ルイス〕を建設。

島内二ヵ所で大規模精糖工場を開業した。本格的な奴隷貿易も開始した。奴隷は主に東アフリカやマダガスカル方面から供給された。現在のモザンビークで話されている諸語の話者であった人びとが、その犠牲者の中心であった。奴隷のなかには遥々と西アフリカのギニア湾岸から運ばれた者もいた。しかし一八一〇年、フランスはイギリスとの戦いに敗れ、島の支配権を譲ることとなった。

「イギリスの時代」になると、国名はモーリシャスに変更された。一八三五年には奴隷制が廃止され、アフリカ人に代わってインド人が契約労働者という名目で導入された。その少し前には中国人が連れて来られた。一八五〇年から一〇年間ほどは砂糖生産の黄金時代と言われている。

一九三九〜一九六八年。第二次世界大戦が勃発し、モーリシャスからも多くの志願兵がヨーロッパ、エジプトなどで兵役に就いた。モーリシャスはインド洋の孤島から、国際社会の一員としての姿を明らかにしはじめた。一九六八年、モーリシャスはイギリスから独立。現在のモーリシャスが誕生した。

この表面的な歴史の背後には、フランスの時代から始まったアフリカ人奴隷の導入、一八二六年からの中国人職人と商人の導入、一八三〇年代からの大量のインド人契約労働者の導入、という影の歴史が大きな意味をもっていることに注目すべきである。これらの時代を通して、生活言語をクレオル語に頼る農園労働者、技術労働者がモーリシャスを実際に支えたからである。

モーリシャスの歴史は、はじめから多民族社会の歴史として出発した。現在、その住民のエスニック構成の内訳はおよそ次のようなものである。

インド系　約六八パーセント
クレオル人　約二九パーセント
中国系　約三パーセント
その他（アラブ系、ヨーロッパ系）　少数

しかし、ここでの分類はごく大雑把なものでしかない。例えばインド系と一括されている人びとは、モーリシャス人としてのアイデンティティをもつと同時に、その内のタミル系の人びとはタミル・ナドゥ地方に、マラタ系はマハラシュトラ地方に、テルグ系はアンドラ・プラデシュ地方に、グジャラティ系はグジャラート地方にといった具合に、それぞれの祖先の出身地に強い精神的な結びつきを感じている。また言語面から純粋に見れば、パキスタン出身のウルドゥー語話者はヒンディー語話者とほぼ同様にインド系の集団に含まれるはずであるが、ウルドゥー語話者はイスラム教徒であり、アラビア文字の使用という点で、モーリシャスではアラビア語を話すアラブ系の人びとと同じ集団に入れられる。デーヴァナーガリー（インド系の文字）と同じ系統の文字を使うが、宗教的にはイスラム教シーア派の一分派である教団に属すインド西南部出身のグジャラティ語話者などの立場は、こうした分類では微妙なものとなる。

モーリシャスの代表的な宗教は、ヒンドゥー教、キリスト教、イスラム教、そして中国の道教である。しかし、一九八七年度の調査では、国内の宗教は、個々の宗教の下の各宗派、その他の小さな新宗教を含めて、八七種類と報告されている。まさに、この小国が宗教博物館であることを思わせる。島のなかを車で走れば、こうした宗教の特徴ある建造物、墓地、路上の祠などが、国の宗教事情の複雑さを視覚的にも確認させてくれるだろう。また、そうした場所での礼拝は、多くの場合、信者の祖先が話していた言語でなされるのだ。

貨幣単位はルピーであるが、紙幣には上から順に英語、タミル語、ヒンディー語の表記がなされている。旅行者は両替と同時に、この国が多言語国であることを実感させられることとなる。巷に立てば、アジア、アフリカ、インド洋、ヨーロッパといったさまざまな顔と装いが入り混じり、ざわめいている場面の真っ只中に自分がいることに気づかされる。

言語面から見ると、国内には、クレオル語のほかに二一種もの異なった言語が話されている。現在の住民の祖先、すなわち一世の世代が話していた言語の数は三三言語を数える。

現在、国内で国民によって話されている主な言語を、言語地理基準によって整理すると、およそ次の通りになる。

クレオル語——モーリシャス・クレオル語（フランス語語彙系）
ヨーロッパの言語——フランス語、英語、ドイツ語、イタリア語、ロシア語、ポーランド語など
インドの言語——ヒンディー語、ボジプリ語、タミル語、テルグ語、マラティー語、グジャラティ語、パンジャビ語、シンディー語など
中国の言語——客家（ハッカ）語、広東語など
アラブ諸国・パキスタンの言語——アラビア語、ウルドゥー語など

中国語の場合、北京語の話者はきわめて少ない。大半は客家語の話者で、少数が広東語の話者である。

ある言語が、話者にとって単なる話し言葉であるのか、それとも書き言葉としても使用されているのかということは、社会的に重要な意味をもつ。モーリシャスの場合も、二世、三世の世代になると、祖先の言語を話すことしかできない者は当然多くなる。しかし、宗教性の強いエスニック集団では、その信仰に関わる事柄は日常的にその言語で読み書きする習慣をもっているので、世代が移り変わっても祖先の言語で読み、書き、話すということを当然のこととして伝えている。祖先が中東出身で、アラビア語を話すイスラム教徒である場合などが、その端的な例である。

モーリシャス・クレオル語の変種

クレオル語の場合、変種は次の四種類に大別することができる。

（1）話し言葉としてのみ用いられているクレオル。過去のアフリカの文化を反映する。農村部の生活者に多い。

（2）ボジプリ（Bhojpuri）語（ビハールの言語に起源をもつモーリシャス変種。インド語系クレオルとも呼ばれる）に影響を受けたクレオル。インドの宗教生活を反映する。商人に多い。

（3）フランス語に影響を受けたクレオル。ヨーロッパ的な生活を反映する。都市部で事務系の仕事に携わる者に多い。

（4）文字で表現される文学や流行歌の歌詞などで使われる洗練されたクレオル。政治、教育、芸術、マスメディア関係の仕事に従事する者に多い。

モーリシャスのような多民族・多言語社会では、共通語として使われているクレオル語はモーリシャス人としてのエスニック・アイデンティティを強化する。それと同時に、その背後で過去に向かう別のエスニック・アイデンティティがクレオル語になんらかの影響を及ぼしてきた。それは、祖先の言語という過去に関わるだけではなくて、ラジオ（英語、ヒンディー語、フランス語、中国語など）、テレビ（英語、フランス語、ヒンディー語など）、映画（フランス語、ヒンディー語、英語など）といった、住民が日常的に接するマスメディアとの関係でも強められている（言語名は使用頻度順）。なお、教育現場では初等段階の出だしにはクレオル語が用いられるが、すぐにフランス語に切り替えられて読み書きを習得する。次年度には英語の使用が始まり、卒業年度まで英語、フランス語の併用でなされる。クレオル語は教室外の言語とされ、それは中等教育以後もそのまま続くことになる。

共通語としてのクレオル語と、その他多数の言語の共存。そのうちの一部の言語がもつ政治的、教育的優位性。こうした状況のなかで、今後、クレオル語がいかなる方向に向かうのかは未知である。いっそうのクレオル語使用に期待を寄せる教育的、政治的意図と、情報時代に入った現在の英語の普及力との力関係が、今後のモーリシャスの姿を決めることになるのだろうか。

10　バイリンガリズムとクレオル語

話者にとっての多言語使用

多言語状況に関しては、言語そのものの記述や、その使用状況がいかにあるべきかについての言語政策的な話は多い。しかし、話者にとっての多言語使用とは何かについては、それほど語られることはない。

ピジン語とクレオル語の基本的な違いの一つは、ピジン語の場合は、話者はピジン語とそれ以外の言語（話者の母語）との複数言語使用者であるが、クレオル語の場合は、それが話者にとっての唯一の言語となっている場合が多い、ということとされる。

この話は基本的には正しい。かつては、カリブ海域諸島やインド洋諸島では、クレオル語はほとんどの住民にとって唯一の言語だったからである。現在でも、ハイチではクレオル語は大多数の人びとにとっての唯一の言語である。しかし、クレオル語地域のほぼすべては国際社会のなかに組み込まれてしまっているために、多言語状況に直面している。

ある言語がピジン語化を経てクレオル語化し、それが話者たちの唯一の言語となってしまうような例とは別に、その土地で従来話されていた言語がクレオル語と共存して話され続ける例も見られる。パプアニューギニアのトク・ピシンのように、母語としてよりは共通語としての性格を強くもったクレオル語には、その種の話者が多い。クレオル語化した言語の話者が、他の土地から集団で移住してきて、新しい土地で話されている言語をも話すようになる例もある。ヌビ語の場合は、クレオル語話者が小集団で移動してきて定着し、周囲に住む他の集団との社会生活ではもっぱら母語（クレオル語）以外の言語を使うようになり、全員が複数言語の話者となったという例である。

さらに現状では、行政、教育などの理由で、国語、公用語といった「大きな言語」がかぶさり、クレオル語の話者は、日常生活で複数の言語を使わざるをえない状況が普通となっている。そのような場合、クレオル語が国語、公用語と同種の、すなわち語彙面で共有するものが多い言語であったならば、そこには複雑な連続体が形成されることになる。南米のガイアナ・クレオル語やジャマイカ・クレオル語などと、英語との関係はそれである。

このようにクレオル語話者が複数の異なった言語を話すという状況は、現在ではごく普通であると言わねばならない。「異なった言語」という意味は、明確に摑めるものではないことは、以前に触れた。それを要約すれば、「異なった言語」というものは一般的には、○○語、××語といった名称の違いを基準とする。その違いは必ずしも、言語の構造、語彙、発音など、つまり言語そのものに見られるものではない。基本的には「政治・歴史」の基準による区別ということである。したがって、「異なった名称をもつ言語」は、必ずしも、互いに通じないほど遠いというわけではない。韓国語と朝鮮語、オランダ語とフラマン語などは、その例である。

さらに、「異なった言語」ということは、互いに通じないほど発音、単語、文法などが大きく離れている言語を意味する場合もある。それらは言語学的には同じ語族には属さない言語である場合（日本語とロシア語など）もあるが、同じ語族に属す言語である場合（英語とドイツ語など）もある。

ここでは、話題を少し簡明にするために、「異なった」ということを、名称として異なっている、または言語学の立場から見て異なっているということではなくて、ただ単に、話せば「互いに意味が通じない」ほど異なった言語という意味で使いたい。普通の場合は、文法や語彙が大きく異なる言語ということである。

この点においても、さらに問題が残される。たとえば、ある一言語のなかに見られる地域変種（諸方言）の間に大きな差異が認められる場合、話者の方言は互いに通じない場合もある。日本語の東北方言と、沖縄の与那国方言との違いを見れば、とても同じ言語とは思えないとされるだろう。

バイリンガリズム

このように、何をもって二つの言語が異なっていると言えるのかを厳密に示すことは難しい。それを踏まえたうえで、ある地域に住むある人物が、二つ以上の異なった言語を表現、理解、またはその両面で使用していることを、一般的には「バイリンガリズム（bilingualism）」と言う。バイリンガリズムには、大別して次の二つの例が認められる。

（1）個人的な事情を背景に置いた例（日本の例では、帰国子女の一部や、親が外国語話者である日本在住者の一部に見られる）。

（2）多言語地域に生まれ育った例。

この二者の間には多少の違いが認められるが、ここでの話題はクレオル語との関係が深い後者に絞りたい。

多言語使用は、複数の言語が個人のなかでそれぞれ別個の概念として存在し、それらを必要に応じて使い分けるという場合と、実際にはその個人の頭のなかには一つの概念があって、それがそれぞれの言語形式となって、必要に応じて表現されるという場合とに大別される。このことは、理論的には受け入れられるが、あくまでも傾向の問題であり、現実の例はそれほど整然と区別できるものではないことも事実である。

ここでは、そうした話題に深入りするよりは、クレオル語地域での複数言語の使い分けに認められる傾向を考えたい。なお、三言語以上の複数言語使用も、ここでは便宜上「バイリンガリズム」（二言語使用）の例で代表させることにする。原理的には、それらは二種の言語の使い分けと同様のものとなるからである。

バイリンガルの定義には、基本的に次の二つの考え方がある。

（1）「バイリンガルである人とは、二言語（以上）を幼児期に何らかの日常環境のなかで獲得し、それらの両言語を自由に、流暢に話し、かつ、無意識に使い分けることができる人物である」とするもの。

バイリンガルに関する研究は、初期には話者の脳内での二言語の働きを心理学的に観察することが多かった。それらの研究者たちが言う「バイリンガルの人」とは、およそ以上のような意味である。ここで言う幼児期、日常環境とは、話者がその土地のものではない言語を話す人物を親としているとか、自分の母語が話されていない地域に居住しているということである。「獲得」とは、その二言語（あるいは、その一方）を学校のような所で努力して学習したのではなくて、母語のように、幼児期に自然に身につけたということである。また、流暢、無意識とは、何かを言う時に、頭のなかでいちいち作文などをするのではなくて、意識せずに話せるということである。簡単に言えば、二言語ペラペラということだ。

この考え方は、日本では普通であるが、実際には問題点が多い。まず、ある二言語を流暢に話す人物が、その一方を「獲得」したのか、学習したのかを区別することは難しい。また、「無意識に自由に」使い分けているか否かを判定する根拠が見当たらない。さらに、そのように主張する研究者自身が、研究対象となる二言語話者と同等かそれ以上の会話能力をもっていなければ、その二言語話者がまともな言葉を話しているのか、それとも、母語とする者から見れば大きく逸脱した言語を素早く話しているのかを区別することはできない。

（2）「バイリンガルである人とは、二つの言語を生活言語として使用している者であり、その人が身につけている母語以外の言語の使用能力（流暢さ）や、表現範囲の程度は問わない」とするもの。

この考え方を採用する傾向は、特に移民社会でのバイリンガリズムを研究する人びとに多く見られる。たとえば、一〇代にハワイに移住した日本人で、現在六〇～七〇歳になる人物には、日常生活を日英二言語で送っている者が多い。ただし、彼らの英語は、平均的な英語からはかなり逸脱したものである場合が多い。このように、ブラジルの日系人（日本語、ポルトガル語）、ロンドンのインド人（ヒンディー語、英語）などの移民一世社会には、こうした種類のバイリンガリズムが多く見られる。ただし、この場合も、「母語ではない方の言語の使用能力の程度は問わない」としながらも、その使用能力の「程度」について論争が起こることは避けられない。現代社会では、世界中どの地域でも、人びとは外国語の単語の一〇や二〇は誰もが知っていて、それを日常で使うという行動が見られるからである。その人びとをすべてバイリンガルであるとは言えないという議論が出てくるのだ。

ピジン語の話者は、必ずバイリンガルであるが、その場合も、この種の不均衡な言語使用の例である。また、ほとんどのクレオル社会も同様であり、すべての住民が二つの言語を文字通りに平均した流暢さ、表現力で話すことは、あまり見られない。

さらに、バイリンガル社会では、母語が必ずしも社会生活の主要言語とはなっていないことにも注意が必要だ。都市部に住み、クレオル語を母語とする人びとには、日常の大部分を自分の第二言語で過ごすという例が少なくない。ヌビ語の話者の場合はその例である。そこで、たとえば母語と生活言語での中心言語との区別を、次のようにすると便利である。

母語＝第一言語――その他＝第二言語

社会生活での主要言語＝主言語――その他＝副言語

なお、「副言語」が母語である例は普通である。

バイリンガルと文化

バイリンガルである人の会話能力には、言語（language）以外の重要な要素が含まれる。つまり、ことば（speech）のなかに含まれている文化的要素である。ここで言う「文化」とは、ひと言で言えば「何かを、どのようにか」ということであると言えるだろう。

「バイリンガル（bi-lingual）」であるとは、正確には、「二種の・言語（language）の」ということで、「二種の・ことば（speech）の」ということではない。ことばを話すということは、言語の文法練習を行っているのではない。「何かを、どのようにか」して、ことばで表現することである。その「何かを、どのようにか」が、ことばの文化面なのである。

したがって、ある人物が話す日本語を観察した場合、その発音面、文法面、単語面のいずれから見ても、「日本語」という「言語」としては違和感がないということと、その人物がその時、その場で、その日本語で「何を、どのように」話していたのかということは、別問題なのである。

このような点を考慮すれば、バイリンガルである人の言語と文化との関係は、次のように示すことができる。

二言語――一文化
二言語――二文化

言うまでもないが、文字通りに二文化に分裂している人間はきわめて例外的である。一般的には、あくまで傾向の問題でしかない。

さらに、クレオル語を使用するバイリンガル社会には、特定の言語を一貫して使って一つの場を保つという例は見られない。話者たちは、話題によって言語を使い分ける。それは、広い意味での「ダイグロッシア（diglossia）」である。たとえば、会話の途中でも、ある話題に関してはA言語、話題が変わるとB言語に切り替えるというような言語使用を日常的に行っているのだ。このような場合は、言語を切り替えるのに応じて、ある程度は文化的な背景を切り替えることになる。普通は、複数言語のうちの一つが、その地域では「文化的に高い」、権威ある、高級な、気取った言語とされ、その他の言語は「文化的に低い」、仲間内の、親密な、普通の言語であるとされる。人びとは、そうした価値観を込めて、言語の切り換えを行うのである。

個々のクレオル語は、他の言語と同様に、それぞれが完成された一つの自然言語である。そこで、クレオル語だけがもつ特別なバイリンガリズムは見出されない。あえて言えば、多言語使用クレオル語地域が置かれていた従来の文化状況のうえに、さらに国際的な情報化がもたらす影響が注目される。つまり、マスメディアなどを介した旧宗主国からの言語情報への接触がクレオル語話者たちに及ぼしている文化的影響や、ことばにおける文化の使い分けの変化が、大きな意味をもってきているのである。

11　クレオル大国、ハイチ

ハイチの歴史

現在、世界各地でクレオル語が話されているが、その多くは多言語使用という環境の中にある。もっとも一般的な例は、家庭内や仲間内での会話は母語であるクレオル語に頼るが、仕事の場では、近隣の大集団に属す人びとが話す言語やその国の国語に頼るというものである。たとえば、ケニアの首都ナイロビの一画に暮らすヌビ人は、仲間内ではクレオル語の一種であるヌビ語を話し、仲間以外の人との仕事の場での交流では、その土地の先住民であるキクユ人が話すキクユ語（バントゥ諸語の一種）、またはケニアの国語であるスワヒリ語や英語に頼る。

その逆に、仲間内での日常生活では代々使用してきている母語に頼るが、仲間以外との会話はクレオル語に頼るという例もある。インド洋のモーリシャス島のインド人社会では、仲間内ではそれぞれが先祖から受け継いできたヒンディー語やタミル語などのインドの言語を使用するが、仕事の場ではクレオル語を話す人びとが多い。

世界には、現在も生活のすべてをクレオル語のみで送る人びとが多く住む土地も見出せる。最大の例が、カリブ海域のイスパニオラ島の三分の一を占めるハイチである。他の三分の二はドミニカ共和国で、住民はスペイン語を話す。ハイチではフランス語を国語とするが、住民のほとんどがモノリンガル（一言語話者）で、ハイチ・クレオル語（Kreyòl ayisyen［フランス語では créole haïtien］）を話す。

その国の歴史の主な流れを、簡単に振り返ってみよう。

一四九二　コロンブスによる島の発見。イスパニオラ島と名付けられた島にスペイン人が入植開始。インディオを奴隷化。しばらくして、インディオ奴隷廃止。アフリカ人奴隷の導入。

一六二五　フランスの植民地化始まる。すでに、クレオル語話者が普通。島で生まれた子どもたちはクレオル語話者となる。

一七四九　ポルトー・プランス（後の首都）の建設。

一七九一　アフリカ人奴隷の反乱。

一七九三〜一七九四　奴隷解放。独立運動の指導者トゥッサン・ルーヴェルチュールの活躍。

一八〇三　独立戦争終了。翌年、世界初の黒人国として独立。フランス語の使用が可能なごく少数の人びとに政治が委ねられる。

一八二五　フランスがハイチ共和国を承認。

一九一五　アメリカがハイチを占領。一九三四年まで続く。

一九五七　フランソワ・デュヴァリエが選挙によりハイチの政治指導者になる。

一九六四　フランソワ・デュヴァリエが終身大統領になる。フランス語使用可能者（住民の二〇〜

三〇人に一人）らによる政治・経済支配状況が続く。

一九八六　デュヴァリエ独裁政権崩壊。クレオル語による表現の場と自由が拡大し、ハイチ・クレオル語使用の新時代に入る。

ハイチは、国土面積二万七七五〇平方キロメートル、その約八〇パーセントを山地が占める。上空から見ると、山地には緑がなく、山肌が剝き出しになっている。人びとが燃料として無計画に木々を切り倒してしまったからである。人口は、約一一一二万人（二〇一八年）で、ラテン・アメリカではもっとも人口密度が高い。南北アメリカ、カリブ海域では最貧国として知られる。人口構成は、九五パーセントがアフリカ系黒人、残りの五パーセント近くが混血、それ以外はごくわずかである。首都ポルトー・プランスには人口が集中し、町の中は人間で溢れかえるかのようである。

ハイチの言語状況

フランス語を公用語とするこの国を紹介する文献には、クレオル語国民九五パーセント、フランス語国民五パーセントといった数字が見出される。しかしそれは、人口の一〇〇パーセントがクレオル語国民で、そのうちの五パーセントは、クレオル語のほかにフランス語も分かるであろう、と理解すべきものである。

ハイチ語、すなわちハイチ・クレオル語は、世界中のクレオル語の中では、もっとも多くの話者を持ち、かつ安定度が高い。また、その話者は国内のみならず、国外にも多数散っている。たとえば、一九七〇年代の記録では、バハマ諸島に四万人、キューバに三万人（このほか、ハイチ系住民で、スペイン語話者となった人びとは三五万人）、ドミニカに三〇万人のほか、アメリカ合衆国やカナダの都市（モントリオールなど）には、大きなハイチ人集団が見られる。現在、ニューヨーク州には、四五万人（二世も含む）のハイチ人が住むと言われる。なお、アメリカ合衆国全体でのハイチ系住民は、約八〇万人と推定される。海外のハイチ人の多くは、ハイチ語の会話能力を保っている。

一四九二年に、コロンブスによって発見されたイスパニオラ島の東部には、スペイン人が入植した。やがて、スペイン人は先住民から貢租を要求し始め、それが計画通りにいかないと、彼らを労働力として奴隷化し始めた。犠牲になったのはアラワク語を話すタイノ・インディオである。しかし、彼らはそうした労働には「不適応」であるとされた。代わって導入されたのはアフリカ人奴隷であった。「インディオの労働不適応性」という表現の歴史的背景については、インディオの自由と生存権を守る運動の中心的な役割を果たしたバルトロメ・デ・ラス・カサスの著作『インディアスの破壊についての簡潔な報告』（一五五三）に詳しい。インディオは、その後に絶滅した。

言語面では、インディオの文化は、次のようなごく少数の単語として残るのみである。

ハイチ・クレオル語		インディオの言語	
kasav	←	kassaba	カッサバ
mabuja	←	mabouya	トカゲ（の一種）
manjɔk	←	maniho	マニオク

一五〇九年にはすでに始まっていた奴隷輸入は、一八世紀初頭までには年間三〇〇〇～四〇〇〇人、一七八〇年には年間二万人へと急増した。奴隷は、主に西アフリカのダホメ（現在のベニン）、ナイジェリア、コンゴ（現在のコンゴとザイール）、アンゴラ地方から送られてきた人びとであった。フランス人の入植は、主に島の北西部で一七世紀から増加したが、彼らが必要とした奴隷もスペイン人により連れれて来られた人びとであった。また、アフリカ人奴隷の反乱や集団逃亡は少なくなかった。ハイチでのアフリカ人奴隷の最初の反乱記録は一五二二年である。

ごく少数のフランス語住民と、アフリカ諸言語を話す者が圧倒的に多かった奴隷たちとの間でなされた言語接触は、クレオル語の形成と安定化に大きな影響を与えたものと思われる。フランス語は語彙を提供し、アフリカ諸語間の接触はクレオル語化を促進させた。ただし、ハイチ・クレオル語に見られるアフリカ諸語の単語の面での残存例は非常に少ない。ヴードゥー（民間宗教）での儀礼用語のようなものを別とすれば、日常語にはほとんど見られない。また、「涙」を「水・目」あるいは、「目・水」と表現するような複合語構造が、アフリカ諸語との関係によるものと指摘されることがある。しかし、それがアフリカ諸語のもつ構造の名残りなのか、クレオル語化が示す一般的な構造なのかを定めることは難しい。

一六九七年、スペインはイスパニオラ島の三分の一をフランスに譲った。植民地の繁栄は、一七〇〇年代のフランスの華となった。しかし、一八世紀後半までには、アフリカ系住民による独立への意志はますます強まり、一七八九年のフランス革命を経て、一八〇四年にはハイチは世界最初の黒人国として独立した。国民はクレオル語を話し、政治家は政治の場ではフランス語を使用した。

ハイチにおける最古の文字記録としては、船員が残した断片的な資料を除けば、一七五七年頃にデュヴィヴィエ・ド・ラ・マオテールが書き残した作品がある。また、ナポレオン・ボナパルトの一八〇一年のクレオル語による布告は、広く知られている。

文学の分野では、フランス語で書く伝統は長く続いていた。二〇世紀前半にも、ジャーク・ルーマン（一九〇七〜一九四四）、ジャーク・ステファン・アレクシス（一九二二〜一九六一）等々、世界的に名を知られた作家が出た。その他、セネガルのダカール、フランスのパリ、アメリカのニューヨーク、カナダのモントリオールなどでは、亡命作家が、詩、小説、戯曲などの分野で活躍している。しかし、クレオル語による作家の出現は遅く、たとえば、小説の分野では、フランケチエンヌの『デザフィ（Dézafi）』（一九七五）を初めとする。現在のハイチにはクレオル語作家は少なくない。

一九八〇年代中頃の、ハイチ社会でのクレオル語とフランス語の使用状況は、およそ次の通りである。教育（フランス語）、カトリック教会の説教（フランス語ないしクレオル語）、ラジオとテレビ（クレオル語番組を持つが、番組の多くを占める外国作品は原語放送）、文学（クレオル語によるもの多数。小説、詩、戯曲など）、新聞（大部分がフランス語、紙面の一部がクレオル語）。

なお、ハイチ社会には明確に分かれた社会層が見られる。それは、人口の一〇数パーセントを占めるにすぎないフランス語の使用が可能なエリート層と、九〇パーセント以上を占めるクレオル語のみの生活者である地方農民層である。エリートと呼ばれる人びとの上層は、都市に住み、政府の役人、法律家、医者、教員といった職業に携わる。その次の層には、都市の下級役人、商店主、地方の中小地主、各地の職人などがいる。そして、それとは別に農民がいるのである。ただしこれは、都市部に非常に多い失業者を除いての話である。

識字問題は、このような社会のあり方を強く反映する。近年、エリート層以外への文字教育の普及努力が次第に高まっており、クレオル語の教育面、政治面での使用は、急速に広がりを見せつつある。

ハイチ・クレオル語の変種

ハイチ・クレオル語の代表的な変種には、①地理的変種、②社会的変種、③文体的変種の三種類がある。

(1) 地理的変種

a 首都方言（首都であるポルトー・プランスを中心に分布）

b 北部方言（カプ・アイシエンを中心に分布）

c 南西部方言（ジェレミー、レ・カイを中心に分布）

これらの方言の間の違いは、主に日常単語の形式におけるもので、発音面や文法面での違いはそれほど見られない。

（2）社会的変種

主に発音面で、フランス語風であるか（都会風）、フランス語風ではないか（田舎風）に分かれる。それは、たとえば都市の住民とそれ以外の土地の住民との関係に現われる。しかし、それも話者のフランス語の知識量、識字程度のレベルなどにより、一定ではない。また、教育を受けた人間やエリート階級の者などが、仕事の場などで自分より社会的地位の高い者に話しかける場合も、（一般的）クレオル語→（フランス語風）クレオル語→フランス語という志向性が高いことは言うまでもない。

（3）文体的変種

主に日常会話においては、人称代名詞の母音省略（“li”〈彼、彼女〉が“l'”となる）のようなものによって表現される。基本的には語順が定まっていて、慣用句が少ない。クレオル語では、文体的な変種は比較的少ない。

ハイチ語の記述の試みは、一八世紀半ばを過ぎてから始まったが、当然のことながらフランス語の正書法をいかにクレオル語風に綴りなおすかに努力が集中していた。その状況は、一般書、特に他国人による書物のクレオル語での会話文などでは今日まで続いている。

ハイチでは、一九四〇年代に入ってから、本格的な正書法確立への試みがなされるようになった。その当時は、国民の非識字率九〇パーセント以上、八〇年代においても非識字率八〇パーセント程度と言われる状態ではあったが、ハイチは世界のクレオル諸語使用地域の中では、もっとも多数の正書法の試みを生産的に行ってきた。

代表的な正書法には、北アイルランドからの宣教師マコーネル（H. Ormonde McConnell）が考案した一音一文字対応方式（一九四一年）、アメリカから来た正書法作成の専門家であるローバック（Frank C. Laubach）によるその改良、ハイチ人のプレッソワール（Charles-Fernand Pressoir）によるマコーネル方式の改良（一九四七年）、国の教育組織（l'Organisation Nationale pour l'Éducation Communautaire）がそれに手を加えたものなどがある。

ハイチ・クレオル語は、現在、一つの確立した言語として世界から認められている。舌足らずの、崩れたフランス語ではない。その全国民的言語の地位を、今後、国としていかに認めるか。その成り行きによって、ハイチ語は素晴らしい情報を世界に発信させる機会を得ることになるだろう。

12 ピジン・クレオル諸語研究の広がり

ピジン・クレオル諸語への見方

「ピジン」という語は、もっぱら言語を意味している。しかし、「クレオル」という語は、生物学的な基準で見た人種、社会的に見た人の素姓、音楽、料理、言語などに広く使用される。

そこで、「ピジン・クレオル諸語」のように「言語」に話題を限定すれば、主題は明確になるものと期待される。しかし、その場合も、「言語」という用語自体が非常に複雑な背景をもつために、話題はすっきりしたものとはなりえない。さらに、その話題を論じるために必要とするさまざまな用語の意味領域があまりに広く、共通理解を期待することは非常に難しい。この話題に関心を寄せる人びとの目的が異なれば、そこには多少の食い違いが生じてしまうことを覚悟せねばならない。

「ピジン語」とか「クレオル語」という語から、ある人びとは、異なった言語が接触すると、それらが無秩序に「混ざってしまう」とか、「混乱している」状態になることに注意を向ける。そして、多くの場合、その視線は、ピジン語やクレオル語の話者に対する偏見や差別をともなうものとなる。この傾向は、特に初期のピジン・クレオル語研究の議論には強かった。

その後の議論は、ピジン語やクレオル語に対して、それを人間の新しい可能性としてとらえるという、積極的な方向へと向かってきた。それらは異言語の接触によって新たに生まれる新しい言語の形成過程やその使用のあり方に、主体性や創造性、社会的共生力といった、人間の可能性を見出そうとする動きである。その流れのなかで、言語研究自体のあり方も変化してきた。初期においては、一見「混乱」としか考えられない「舌足らず」で「めちゃくちゃ」な言語と見なされていたものに「一貫性」を見出し、それらが一つのまともな言語であることに注目する者が出てきたのである。つまり、個々のピジン・クレオル語は、全体として見ても、それを支える個々の要素の関係から見ても、「一定の秩序」をもつ言語であることに注意が向けられ始めたのだ。研究者たちは、一見混乱したもののなかに、整然とした仕組みを見出そうと試みるようになってきた。

現在は、さまざまな領域に見られる「クレオルらしさ」が、話題のなかで大きな位置を占めている。その「クレオルらしさ」を、ピジン・クレオル語自体の内部に求めていけば、それは言語の「文法」記述論から始まり、なぜ「クレオル化」のようなことが人間には可能なのかという、「人間の創造性」を問う方向に向かうことになる。これに対し、「クレオルらしさ」をピジン・クレオル語の表現世界においてみる場合には、カリブ海域やインド洋、西アフリカ沿岸部などでの奴隷貿易によって異郷の地に残された人びとの子孫からの、世界に向けて訴える発言として、一種の政治思想論の形で展開される。

「言語」が意味すること

ピジン・クレオル諸語の話題では、「言語」という用語について整理しておかなければならないことがいくつかある。

まず、異言語接触を語る際に出発点となる「異言語」とは、何を意味するのかということが問題となる。単に言語の名称が異なるということと、言語学的に見て、すなわち音韻、単語、文法などの面で、どの程度、二つ（以上）の言語が隔たっていれば「異言語」であるのかという問題とは、同じではない。

さらに、「異言語」の話者が、ある特定の社会のなかで占める数や人口比率、ピジン・クレオル語の形成に必要な世代数といった期間などについての基準がある程度定められていなければ、「異言語接触」という話題を正確に論じることは難しいだろう。しかし、このような判定基準を設定することに関しては、現在は未解決の部分が多い。ピジン・クレオル語が、そうではない言語と連続体をなしていることも、その作業を難しくしている原因の一つである。

また、「言語」という用語が、次の三つの異なる内容をもつことにも注意が必要だ。

（1）「言語ａ」——「人間は言語を話す動物だ」「世界の人びとは言語を話している」。このような例に見られる言語とは、種としての人類が共通してもっているコミュニケーション能力の一部としての「言語ａ」である。人類にとって普遍的な言語であるとも言える。

ピジン・クレオル諸語の場合、この種の言語は「バイオプログラム説」と呼ばれる理論の主役となる。それは、アメリカのＤ・ビッカートンという学者が一九八〇年代初めに主張した理論で、個人のなかで創り出されるクレオル語の姿は、人間の生得的な言語能力が顕在化したものであると考える。すなわち、人類ならば誰もがもっている「言語a」の仕組み（文法）そのものが、現実の形をもって顕われたものとして、クレオル語を扱うのである。この説は、ピジン語のような、不完全で簡略化された文法要素を与えられただけでも、人間は、それらの断片を拾い集めながら新しい完全な言語（クレオル語）に完成させてしまう能力があるという考え方をとる。

（2）「言語b」——われわれが一般的に思い浮かべる、「日本語」や「英語」といった個別の言語を「言語b」とする。現在、この地球上に、大小さまざまなものを含めて七〇〇〇を上回る種類の言語が存在する。その一つひとつが「言語b」である。それらは政治・歴史背景を基準として成立している言語であるとも言える。通常、人びとは暗黙のうちに、その種の言語が個々に存在すると思い込んでいる。

異言語接触を語る際の「言語」とは、この「言語b」に当たるものを指している。ただし、その場合の「言語b」は、名称として異なるうえに、さらに言語学的に異なるものでなければならない。ピジン語は、その形成に関与した一方の言語から音韻面を引き継ぎ、他方の言語から語彙面と（簡略された）文法面を引き継ぐ。クレオル語は、そのピジン語の状態を超えて完成された、新しい「言語b」である。

（3）「言語c」——「言語b」に歴史という時間性を入れて考えた場合には、歴史上の時点におけるさまざまな変種が認められる。それを「言語c」としよう。

また、その歴史には、少なくとも次の二種類があることを確認しておくことは、言語の研究、特にピジン・クレオル語の研究では欠かすことができない。一つは、個々の人間の生涯を超えて代々連なる歴史である。すなわち祖先から世代を超えて受け継いだものとして認められている歴史である。これは文化的知識に基づいて区分される歴史である。もう一つは、人間が生涯のなかで経験する、個人の成長における歴史である。言語の場合、それは生後すぐに始まり、数年後には一応の完成を見るとされるような、言語獲得（または習得）の歴史である。

このような二種類の歴史の区別にしたがって、「言語c」は、さらに「言語c-1」「言語c-2」の二つに分けることができる。まず、「言語c-1」とは、「現代日本語」、「中世日本語」のように、文化的な歴史的時代区分に基づいて、その存在が認められるものである。それは、通時論でとらえられている言語であるとも言える。ピジン・クレオル語の場合は、異言語接触によって生じる初期的なピジン語から、一つの完成された言語（クレオル語）に至るまでの形成史上に現われるいくつもの変種がこれに相当する。

次に、「言語c-2」に関する話題は、その初期に見られる一段階をとって、「赤ん坊の言語」、「幼児言語」といった話題としても展開されている（「赤ん坊の言語」と「赤ちゃん言葉」とは異なることに注意。「赤ちゃん言葉」の多くは母親が赤ちゃんに向かって話しかける言語で、それは「大人の言語」の一種である）。

ピジン・クレオル語研究が注目すること

ピジン・クレオル諸語研究において、「言語c－2」に関してもっとも注目されるのが、両親やその他の周辺の大人たちがピジン語に頼って会話をしているという環境のなかで育つ子どもの言語に関するものである。

カリブ海域、インド洋諸島などでは、奴隷貿易によってアフリカなどの地域から互いに言語が通じない者たちが奴隷として連れてこられ、同じ場所で生活させられるという状態にあった。奴隷たちは、お互いの伝え合いの手段としてピジン語を生み出した。ピジン語の話者を両親にもった子どもたちは、成長の過程で、親のピジン語を超えたクレオル語をみずから創り上げたという例が、ごく一般的に見られる。このような子どもたちの言語獲得に関する問題は、ピジン・クレオル諸語研究が解明すべき重要な課題となっている。

なお、歴史という時間の流れに見られる言語変種に加えて、空間の広がりのなかに見られるさまざまな変種、つまり方言がある。この種の変種は、クレオル語の場合は、脱クレオル語連続体――語彙提供言語とクレオル語の間に、数種類の変種の連続体が形成される――のような例を話題にする場合には大きな意味をもつが、一般的には、それほど扱われない。

「言語」の話題は、以上の三種類だけで終わるわけではない。個々の集団の成員が共有する「言語b」の存在を前提としたうえで、さらに最低限、次に示す二つの別の話題に向かう傾向があることにも注意が必要になる。

（1）ある種の言語標本を（記述）作成し、それに基づいた「言語モデル」の探究。
（2）伝え合いの現場で、個々の話者が実際に話す「ことば」の探究。

これらは「言語」の「根拠」論と、「演奏」論であるとも言える。

根拠論は、普通は「文法」という用語を基本として展開される。それは言わば、言語の内部解明論であり、ある標本を作成し、その内部に潜む構造を見出す方向に進む。すなわち、実際に話されている「ことば」から、なんらかの基準によって記述された例の内部に見られる音声単位と意味単位を明らかにし、さらに、音声単位と意味単位のバリエーションのあり方や、各々の単位の連続規則を明示しようと試みる。ピジン・クレオル諸語の研究の大半は、この根拠論に立場を置くものであった。

他方、演奏論とは、現実に話される「ことば」に焦点を当てたものである。世間には、紙の上に記述された「話しことば」という例が多く見られるが、そうした例は、正確に言えば「話しことば」ではない。それは、口語体の「言語b」であるに過ぎない。現在のところ、実際に「ことば」が話されている場合に、「言語b」に付随して大きな役割を果たす音色、スピード、ジェンダー、情動、癖などを、十分に記述することのできる方法はない。

ピジン・クレオル語の場合、現在のところ、「言語モデル」に関する研究には深入りしているが、「ことば」に関する研究はほとんどない。「ことば」の研究には、たとえば、発声の調子が異なる異言語接触が、いかなる「話しことば」を創り上げるかといったものがある。この種の研究は、異文化接触の下での口承伝承での「語り」や、異宗教接触における祈りの「唱え」のあり方などに、何らかの発見をもたらすことが期待できる。

「ことば」のなかでも、ある程度は研究可能な段階にある「異なった言い回し」の接触の研究も、ほとんど着手されていない。アラビア語とペルシア語は語族を異にする言語であるが、言い回しの一部はイスラム的表現をとることで同じものとなる。この逆に、同じ「言語b」同士でも、文化的な地方差から異なった表現をするものもある。異言語接触における、そうした「異なった言い回し」や「話題の異なった展開のあり方」などに関する研究は少ない。こうした例に関しては、異なった言語の融合というよりは、接触に関与した異なった言語のどちらから何を選ぶかという、選択のあり方に注意が向けられることになるだろう。

なお、異言語接触の話題には、次のようなものがある。「外来語（借用語）」、「バイリンガリズム」（個人的な複数言語使用のあり方）、「ダイグロッシア」（バイリンガル社会において、二つの言語変種を状況、話題の性質によって使い分ける）、「言語切り替え」（会話中に、異なった言語を句単位で入れ替える）、「絡み合い語」（「混成語」とも言う。異言語接触の結果、関与言語の一方の文法がほぼそのまの形で残され、単語のほぼすべては他方の関与言語に由来するという珍しい言語）。こうした話題に関しては、最近、研究が活発になされてきている。これらの諸分野は、異言語接触を中心軸として、その周りに広がっており、ピジン・クレオル諸語に関する研究と多くの部分を共有する。

一七〇〇年代に入ってから、主にキリスト教徒による宣教を目的として研究されはじめたピジン・クレオル諸語が、本格的な研究対象とされるようになってから、まだ半世紀を超えない。しかし、その成果は目覚ましく、かつ、急展開を見せている。

第二部　「ことば」を追って

写真：著者、4歳

1　わたしと「ことば」、そして「言語」との関係

「言語」との出会い

わたしが「言語」と呼ばれるものの存在に改めて気がついたのは、二〇代の後半になってからであった。もちろん、「言語」という単語は、幼い頃から知っていた。ただ、その「言語」なるものに、少しは深入りしてみようという気はまったくなかった。

二六歳のときにアメリカに留学する機会を得た。フルブライト奨学生として、大学院で言語学と文化人類学を勉強できることになったのである。一九六〇年代の半ば、アメリカには反共産主義の嵐が吹いており、ソ連や中国とは犬猿の仲であった。わたしは、政治経済学部でマルクス主義を、さらに文学部の英文科でアメリカの黒人の抵抗文学を研究して共に卒業し、文学部の大学院でロシアの映像論を専攻した。「ことば」や「文化」の勉強はまったくの独習であった。

そんな背景をもった人間が、反共アメリカの大学院に、しかも学歴とはまったく違った専攻を目指してスカラーシップを申し込むというのだから、申請書類を見ただけで拒否されてしまうだろうと覚悟していた。ところが、申請から一週間後に委員会から呼び出しを受け、数人の試験官の前で面接を受けたところ、数日のうちに合格の報せが届いた。旅費、学費、生活費などはすべてもつ、

アメリカのいかなる大学院に行ってもよい、との返事だった。

数多くの大学の中から、カリフォルニア大学ロサンゼルス校を選んだ。わたしが学びたいと思っている内容についての、世界的な権威が何人か授業を担当していたからであった。運が良かったのか、文献では知っていた著名な人びとが立て続けに海外から客員教授としてやって来て、わたしが受けた授業の担当者のほとんどはアメリカ人ではないことになった。まるでヨーロッパの大学院にでも入ったようなものだった。

しかし、そこはやはりアメリカでもあった。当時、ベトナム戦争は激しさを増し、試験の時期には、教室の黒板に「(試験に) 通るか、さもなければ死か」と大きく書かれていることもあった。良い点を取らないと徴兵されるぞ、という意味だった。授業の内容は、わたしにとっては一切負担にならないようなものだったので、教室を出ると、ほとんどの時間を図書館で日本文学の本を借りて読むか、近所のメキシコ人街や中国人街、そして合衆国の西側のハーレムと呼ばれていたワッツ地区に入り込んで、多様な人生経験をもつ人びととの交流を楽しんでいた。

このような背景の中で、わたしは「言語」とか「文化」と呼ばれるものについて少しばかり考えることができたような気がする。年齢的には遅まきながら、言語や文化に関する学問の世界に一歩入り込むことになったのである。

既成の学問とか専門とされるものは、わたしの興味と重なる部分があるとはいえ、受けつけ難い部分も多かった。専門の場で話されていることの多くは、特定のテーマについての「考え方」の探究であり、それは現実のあり方の探究とはかなり異なるものであるとの気持ちを捨てることはできなかったし、現在もその気持ちは変わらない。

「ことば」と「言語」と「文字」と

わたしは人間が実際に話している「ことば」に興味をもっていたのだが、学校での話題は、もっぱら「言語」についてのことに終始していた。わたしがそのことから得た最大の収穫は、人間は「ことば」の奥から「言語」なるものを発見し、それを対象として「言語学」なるものを発明したということであった。それは人間の発明品なので、作り替えを次々に行うことが可能なのである。この点については、「文化」に関しても、ほぼ同じ感想を持っている。

「言語」の発見は、文字を使用する文化の中にいる人びとの産物である。何故ならば、実際に話されている「ことば」は瞬時に消えてしまうものであり、かつ、一回限りのものであるからだ。それを安定した形で捉えて対象化するには、できるだけ実物に近い「ことば」の標本を作らなければならない。文字は、その要求のすべてとは言えないにしても、少なくともかなりの部分に答えるものであった。また、その標本作りは、「○○語」というものが確固とした実体として存在するのだという発想にも直結することとなった。

もちろん、この話は文字の起源とは関係ない。また、人は言語を研究するために文字を創ったという話でもない。文字文化の中にどっぷりと漬かっている人びとの中に、文字の助けを借りて「言語」の研究に深入りする者がいたということなのである。

言うまでもないが、「ことば」は声を伴って発せられる。しかし、書かれた文字から声を聞くことはできない。それができるという人物がいるとしたならば、その人は、文字自体が発する声を聞いているのではなくて、望んでいる声を自分なりに文字から聞き取っているのである。文字は、「ことば」の主役とも言える「声」を失うことによって成り立つ。そして、その声というものは個人的なものであり、多様な脈絡の中で実現する。

「ことば」の声は、一声一声発するごとに瞬時に消えてゆく。そこには、当然のことながら時間的順序が見られる。他方、文字で書かれた「ことば」の標本は、目の前で消えてしまうことはない。ただ、いかなる文字にも書かれる順序というものがあり、上から下に（日本語など）、右から左に（アラビア語など）、左から右に（英語など）のようなものから、渦巻状のもの（ベルベル語など）、右から左へ、左から右へなどのように行ったり来たりを繰り返す牛耕式（インドネシア諸島の数言語）のものなどがある。

現代の言語研究者の多くは、ヨーロッパ系統の言語の話者である。その人びとの文字使用は、左から右へと横向きに水平に展開する。そのことによって、言語研究はどのような制約を受けているのだろうか。また、個々の文字と言語音声との対応にも、いくつかの種類が見られる。たとえば、個々の文字が単音に対応する（ラテン文字の〝p〟、〝t〟など）、一つの記号が基本的に二つの音声に対応する（日本語のカナ文字の「カ」は〝k〟と〝a〟、「サ」は〝s〟と〝a〟など）、基本的に一つの記号が三つの音声に対応する（中国語の「酒」の〝j〟と〝i〟と〝u〟など）といった例が見られる。こうしたことは、言語研究にいかなる影響を与えてきたのだろうか。興味がそそられる点である。

たとえば、学校などで一般的に学ばれている日本語の文法を、かな文字で展開するか、ラテン文字で展開するかでは、同じ流派の文法であっても、本を作る場合にページ数がある程度異なるものとなることは簡単に見当がつく。動詞の変化形を例にとれば、「あるく（歩く）」は、「ある―く」、「―け」、「―かない」などと変化するが、ラテン文字を使うならば〝(aruk)-u〟、〝-e〟、〝-anai〟といった具合に、母音の部分から変化することになる。この方式では五〇音図で書いた場合の「〇行〇段活用」という展開に従わなくても成り立つことになる。

また、文字で表記する文の場合、その文字の上手下手、個人的な癖、といった話題を別にすれば、同じ文ならば何度書いても原則的には同じ意味を表す。たとえば、「おはよう」と文字で書けば、朝の挨拶といった具合である。しかし、声を伴った「ことば」ならば、その話者が男性か女性か、知り合いか否か、相手とはどんな関係にあるのか、などといった多様な脈絡から逃れることはできない。つまり、誰が誰に対して、いつ、どこで、どのように発したのかによって、「ことば」としての「おはよう」は、実に多様な意味を持ち得るのである。

それどころか、後で話題にあげるように、人間の自然な会話で、「ことば」だけが自立して存在するということはない。非常に多数の発表がなされている「話しことばの研究」なるものは、実際の「話しことば」の研究ではなくて、「口語体の言語」研究であることを、わたしはこの四〇年余り指摘し続けてきた。しかし、このことに関しては、今も充分な関心が払われているとは言えない。理由は簡単である。「話しことば」の研究も、文字で記述された「言語」を対象とする言語研究者によってなされているからである。現実の「話しことば」に近い研究をする人びとは、むしろ精神分析の分野、心理カウンセラー研究の分野などに多く見られる。

動物になりたかった少年時代

わたしにとって、「ことば」への関心は幼児時代に遡る。身近な生き物、なかでも植物ではなくて、虫、鳥、小動物などの、自ら「動きまわる生き物」に興味があった。様々な種類の動物の生き方に、幼いながらも憧れのような気持ちを持っていた。

動物を眺めていたいというのではない。動物を飼って可愛がりたいというものでもない。自分が動物になろうとしたのである。子ども心に、動物の世界に入り込み、彼らと自由自在に「伝え合い」ができたらと願っていた。たとえば、アゲハチョウを見ていると、家の庭の柑橘類の木の上で、タマゴからイモムシに、イモムシからサナギに、サナギからチョウになってしまう。もし、自分がチョウと同じ生活を送るとしたならば、今の自分はイモムシの状態にいるはずだ。高校に入る頃にはサナギになる。そして、大学に行く頃には、自分は空を飛ぶことができるだろう。一度の生涯のうちに、生き方も、体の形さえも、幾度も次元が異なる生き物に変身する。こんなことを想像すると、嬉しいような、どこか恐ろしいような気分を同時に味わった。

憧れだけでなく、子どもなりに実践もいろいろと試みた。たとえば、家の近所のスズメの顔を覚えて、一羽一羽を見分ける訓練をした。鳴き声も聞き分けられるように努力した。それが上手くいけば、一キロほど離れた駅に行った時、自分が知っているスズメがそこにいることが分かったら、「どうして、今日は、あのスズメはこんな所まで遊びに来ているのだろう」などといったことが分かる。当時のわたしにとって、それは考えただけでも、わくわくするようなことだった。ネコのように、屋根の上からいかなる格好で突き落とされても、ちゃんと足から着地する。頭が入る穴であれば、そこから体をすり抜けてみせる。こうした様々な試みのなかで成功した例もあるが、目的を達成できなかったことも多い。ただ、その努力の記念は、わたしの体に生涯消えることがない傷として残っている。

中学を終える頃、いくら頑張ってても自分はスズメにもネコにも追いつけないと自覚するようになって、少しばかりの絶望感を味わった。段々と、興味の方向は自分と同じ種類の動物である人間に向いていった。その方が、少しは分かり易いと思ったからだった。

高校を卒業する頃には、むやみやたらと本を読んだ。文学関係ではランボーの作品に衝撃を受けた。G・アポリネール、P・エリュアール、A・ブルトン、ロートレアモン、H・I・ミショー、V・マヤコフスキーなど、どちらかというとフランスやロシアの作品に偏っている。また、映画も大量に観た。後に大学院で研究することとなったS・エイゼンシュテインやV・I・プドフキン、Dz・ヴェルトフ、L・ブニュエル、また、当時は新しい映画の波を起こしていたJ-L・ゴダールやA・レネなどの作品にのめり込んだりした。映像は人間の日常行動の標本のようなものである。そこからは様々なことを学んだ。後になって、わたしが映像の世界からやや離れていったのは、枠の中に閉じ込められている映像よりは、日常の生活面で目の前に展開している場面を見ている方が面白くなってしまったからだろう。

関心が少しばかり動物離れしたとはいえ、わたしが人間を動物の一種として見る目はそのままであった。その頃には比較動物行動学（エソロジー）なる学問があるということを知って、その関係の本を探し求めた。J・フォン・ユクスキュルが唱えた動物の環境世界（Umwelt）の概念は、様々な動物が持つ独自の世界に、わたしの目を開かせてくれた。K・Z・ローレンツ、N・ティンベルヘン、I・アイブル＝アイベスフェルト、E・T・ホール、E・ゴッフマン、M・L・ナップといった名前が身近なものとなった。

こうして自分の過去を振り返ってみると、わたしは生き物の生態や知覚世界にも関心があるが、むしろ、生き物が同種の仲間、他の種類の動物などとの間で行っている「伝え合い」の方に大きな興味を持っていたことが分かる。

「ことば」とは何か

わたしが「伝え合い」と名付けて、この半世紀ほどの間に活字にしてきたものは、「コミュニケーション」という題目で論じられる非常に多様な領域全体と較べると範囲が狭い。また、それは脳生理学などが扱う根源的な話題よりは、人びとが実感として感じ取っている文化的なものに近い。まず、コミュニケーションに関する話題の枠組みを簡単に整理してみると、①物と物、②生き物と物、③生き物と生き物（（a）同種間、（b）異種間）のようになる。

現在のわたしの関心事であるとともに、ここで扱うことになる話題の中心は、③の（a）の「同種間コミュニケーション」の一種である「人と人とのコミュニケーション」と、その中の一部を成す「ことば」に置かれる。また、当然のことながら、そこには「言語」の話題が重なり合う。なお、

「言語」は「ことば」を支えるものではあるが、あくまでも「ことば」の一部でしかないものでもある。

「ことば」と「言語」。この二つの用語を、「ことば」とは現実の場で発せられるもの、「言語」とは「ことば」の背後にある基盤であり、文字や発音記号などによる記述で捉えられたもの、という形で、わたしは使用している。その関係は、このような図式で表せるだろう。

ことば……

言語	言語付加物
脈絡	知識

なお、この図については、次の点に注意が必要である。

（1）この四要素は、それぞれ「ことば」の四分の一ずつを占めているということではなくて、四種類の基本要素を示すだけのものである。比喩、暗喩、裏の意味、行間の意味などとされるものは、これらの要素を土台とすることで成り立つ話題なので、一応、四要素とは別のものとする。

（2）「言語付加物」は「パラランゲージ」とも言われるが、その用法には二例ある。

（a）会話中に、その内容を補足するために使う動作（「丸いお月様」と言って、手で空中に円を描くなど）。

（b）「言語」に付随する話者の声。その音質、抑揚、癖など。

なお、ここでは混同を避けるために、「言語付加物」という語は（b）を意味するものとする。

（3）「脈絡」。これは次のような種類の脈絡で成り立っている。

（a）関係脈絡——相手との関係（知人、客、家族、上司、など）がもつ脈絡。

（b）時間脈絡——個々の発話は、その多くが会話のやりとりの中で意味をもつ。こうした会話の流れという時間の脈絡。

（c）空間脈絡——当人たちが「伝え合い」をしている場所と、そこでの状況がもつ脈絡を指す。

（d）筋脈絡——「伝え合い」に参加している人物たちが話題としている内容の背後にある事柄の経緯といった脈絡。

（e）知識脈絡——話者当人の知識が支える脈絡を指す。正しいとされる日本語で話したとしても、その語彙を聞き手が知らなければ、話は意味を成さないか、話者が意図していることとは別の意味となる。たとえば、幼児に向かって、正しい日本語で実存主義や量子論を話しても、幼児はその話に出てくる単語や内容の基礎知識を知らないため、話は意味を成さないか、または、目の前の人は偉い人なのだな、といった、話の内容とは別の意味を受け取ることになる。

次に、わたしがこれまで関心をもち続けてきた「ことば」とは何か、「言語」とはいかなる違いがあるのか、について、もう少し述べておきたい。先ほども触れたように、数多く見られる「話しことば」の研究なるもののほとんどは、文字などで記述された言語を対象とする「口語体の言語」研究である。文学は、基本的には「言語」で構築されるものなので「言語芸術」と呼ばれる。これに対し、話すことで初めて生命をもつ落語などは、いわば「ことば」による「演奏芸術」と言えよう。こうした言語とことばの関係は、たとえて言えば、楽譜と演奏の関係に似ている。文字で記述された言語は、いわば音符という記号で紙の上に書かれた楽譜であるが、それをいかに演奏するかは、現実の世界で生きたことばがどのように話されるかと同様に、様々な文脈というものが係わっている。

「伝え合い」の中のことば

「人間は言語だけで伝え合いをすることは不可能である」。わたしの関心の原点は、このことにあった。いったいどこの世界に、姿も見せず、声も聞かせず、互いの間の距離もなく、相手との向きもなく、その場の脈絡もなく、その他、様々な背景要素もなく、「ことば」だけで会話ができる者がいるだろうか。そのようなことが可能なのはSFの世界だけである。しかし、この話が通じたのは、過去数年間にわたって、精神科医のグループを相手に話題を展開した時だけで、言語学関係の人びとにはほとんど通じないことであった。

それならば、「ことば」とは切り離せないとされる他の要素は何なのかということになるのだが、わたしはそれらの要素を「伝え合いの七要素」として四〇年余り前から提示してきた。ここでは、それらの概要のみを示すことにする。

（1）「ことば」——言語という基盤の上で成り立っている「話しことば」。
（2）身体の動き——静止状態（姿勢）、身体の全体と各部の動き（視線を含む）。
（3）当人の特徴——外観（容姿、装いなど）、属性（国籍、職種、性別、年齢、人種など）、個人的な癖など。
（4）社会背景——社会構造上の背景、社会組織内での背景。
（5）空間と時間
（a）空間……お互いの距離、向き、その場における場所の占め方や位置など。
（b）時間……当人たちが置かれている刻（朝・昼・晩、季節など）、ある内容を表現するために必要とする実時間。
（6）環境——当人たちが置かれている場の状況。所与の環境と当人たちがその場で演出する環境の双方を含む。
（7）感情・情動——当人たちが意識的、無意識的に見せてしまう身体的反応。

ここで気をつけるべきことは、次の点である。

①「伝え合い」は、当人たちにとって、その時、その場、一回限りのものであること。
②これらの要素は、現実の伝え合いの場では、個々に独立して働いているというのではなくて、

互いに重なり合う部分がある。また、この七要素から一つでも要素が欠けたならば、その「伝え合い」は成り立たない。なお、衣装や化粧といった要素は、これら七要素の下位要素としてあるものであるが、以上の（2）、（3）を始めとする複数の要素にまたがっているものと見なすことができる。

③「一回限り」のものは考察の対象になり得ないということは、当然のことである。ここでの視点は、解答を得るためのものではなくて、一回限りのことを考えるには何を考慮すべきか、という立場に立つものなのである。

「言語」の特性

以上のようなことを長々と展開してきたのは、ここからの話題の基本用語となる「言語」や「ことば」を、わたしの場合はどのように用いているのかを示しておく必要があると考えたからである。そのためには、「言語」なるものは、いったいいかなる根拠に基づくものなのか、ということについても、少し触れておかねばならない。

人間の「言語」は、いかなる種類のものでも、以下のような特性を持っている。

（1）共有性――集団内の者たちが、伝達のあり方において共通の基盤を有すること。

（2）二重分節性――分節された一定数の音声（一〇種から数十種ほど。一般的には三〇〜四〇種の間）とそれらの連鎖規則。分節された非常に多数の意味単位とそれらの連鎖規則（同じ意味背景に支えられた複数の意味単位のバリエーションとその組み立て規則を含む)。

なお、「(言語)音声」と「声」とは異なったものである。「(言語)音声」とされるものは、(「ことば」の)声の背後にある言語を実現する際に用いられる声の種類である。なお、この音声の種類と数は、それぞれの言語で異なる。

(3)任意性(恣意性)

(a)意味単位を支える音声と、その意味が指示する対象との関係は必然的なものではなくて、社会的な約束事であること。例えば、現実に存在する様々な形状の机というものが、「ツクエ」という音声連鎖と結びついているのは日本語の話であり、すべての言語で必然的なものではない。

(b)意味単位の実現に込める力の強弱と、それが表す意味との関係は文化的なものであること。例えば、他の動物ならば怒りには怒りの声の調子があるが、人間が怒りを表す声の表現は様々で、文化的なものである。怒って怒鳴る場合もあれば、低い声でつぶやく場合もあるが、いかなる場合にどのような表現をとるのかといったパターンは文化によって異なる。

(4)生産性——社会内で必要とする事物が出てくれれば、既存の音声を組み合わせて新しい意味単位が創り出せる。たとえば、英語から"glass"という意味単位が日本語に入れば、必要に応じて「グラス」とか「透き通り板」のような意味単位が創り出せる。

(5)異空間内・異時間内の出来事伝達性——遠く離れた空間や、過去や未来の時間における直接に知覚不可能な物や出来事について表現することが可能であり、さらに、そのことについて他者に伝達できるということ。

（6）老若男女間共通の手段使用性——子どもも大人も、男も女も、共通の音声伝達手段を利用するということ。これに対し、特に昆虫や鳥などの動物では、オスは鳴くがメスは鳴かないとか、子どもの頃は鳴かないが大人になると鳴くようになるといった例は普通である。

（7）後天的（文化的）獲得性——人間は、生まれた環境の中で、生後、成長とともに特定の言語を身に付ける。それは、他の多くの動物のように、同じ種類ならば同じ種類の音声伝達形式で行うようになるというのとは異なる。

人間の「言語」には、これら以外にも様々な性質が見られるが、ある伝達様式が「言語」であるとするには、以上の七つを挙げるだけで充分であろう。すなわち、いかなる言語であっても、それが「言語」ある限り、以上の七つ性質のすべてをもっている。もし、このうちの一つでも欠ける場合、それは「言語」であるとは言えない。

いかなる種類の動物でも、伝達において上記の性質のいくつかに共通する部分をもつのは当然である。要点は、このすべてを同じくする例はないということである。それ故に、言語は人間だけのものであると言えるのだ。

人間の「言語」は、他の動物たちの場合と較べると、短い時代の流れの中で表面的なあり方が変化する。消滅する言語もある。異種の言語が接触することで、新しいものが生まれることもある。次からは、わたしと「ことば」を支えるものとしての「言語」との出会いの話をしてみたい。

2 「ことば」に触れる

ノッペラボウな世界を捉える

「世界ノッペラボウ説」。これはわたしが世界のあり方についての話を展開する際に、その基本となる考え方を名付けたものである。その要点は、人間が知覚している世界の背後は、本来、ただボンヤリとした明暗と、なだらかな起伏が続くだけのノッペラボウである、ということである。

いずれの生き物も、そのノッペラボウを最低限二つ以上の事物に分け、その区分に対応して生きている。食べ物とそれ以外のもの。身に危険を及ぼすものとそれ以外のもの。子孫を残すための対象とそれ以外のもの。これらは初源的な区分である。そうした区分は、無論、脳の働きだけによって成されるものではない。脳をもたない植物も含めて、いかなる生き物も自らにとっての世界の区分を成すための様々の装置をその体に備えている。

ノッペラボウをいかに区分するかは、生き物の種類ごとに異なる。それは言うまでもなく、種類によって体の造りが異なるからである。そうした区分によって支えられた個々の生き物の世界は、動物（昆虫、爬虫類、鳥類、獣類など）の場合ならば、フォン・ユクスキュルの言葉を借りて各種別の環境世界（Umwelt）と言うことができよう。

人間も、他の動物同様に、身体的な基礎の上にのって世界を細かく区分する。その数は計り知れないほど多く、また、複雑である。そこに、「言語」と呼ばれるものがつきまとう（なお、「言語」や「ことば」は多義的に用いられる語であるが、ここで用いるこれらの諸用語の定義については前章で述べた）。そして、人間は自らの世界を認識するうえで、「言語」に大きな影響を受ける。さらに、その世界を実際に表現するためには、「ことば」に頼らざるを得ない。その「ことば」をめぐっては、個別の「文化」というものが逃れ難くついてまわる。生まれ落ちた時代や地域等によって、人間は異なる個々の文化、すなわち「生き方」に縛られながら、必要なことを声を伴う「ことば」に託して表現する。

前に述べたように、話される「ことば」の背後にある共通基盤としての「言語」、すなわち特定の「〇〇語」という個別の名称で呼ばれる諸言語の存在を顕在化、実体化させたのは「文字」の存在に負うところが多い。

その文字使用については、現時点で判明している最も古い例は、たかだか八〇〇〇年ほど前のものに過ぎない。大雑把ではあるが人類史を五〇〇万年と見ると、人間が「ことば」を持つようになってから現在に至るまでの時期は、その数十分の一にしかならない。さらに文字の発明から現在に至る時期は、さらにその数十分の一ほどである。

このことを実感しやすく言い換えてみよう。まず、五〇〇万年前の人類出現から現在までを一年（三六五日）とすると、出発点は一月一日の午前〇時〇分〇秒となる。そうすると文字の出現は、なんと一二月三一日の午前一〇時頃となる。さらに、文字使用の初期の時代には、人口は現在と比較すれば非常に少なく、また、文字を使用していた人びとはその中のさらに限定された数の人びとであった。「ことば」のみの生活者が、その中から「言語」を見出すのは、必然的に文字使用開始後であるから、一二月三一日の午前一〇時頃以後の時代となる。つまり、人類史全体からみれば、「言語」の誕生はほんのつい先程の出来事でしかないのである。なお、現在分かっている文字の最古の例は約八〇〇〇年前のものと先に述べたが、それは日本では縄文早期に当たる。もちろん、その当時の日本には文字はなかった。しかし、人口面だけで見れば、わたしが生まれ育った南関東（現在の千葉、埼玉、東京、神奈川）の当時の人口は、全体でわずか七〇〇〇人ほどであったとされる。これに対して、現在（二〇二〇年）の人口は、なんと約三六七六万人である。このように考えると、「言語」がどれほど急速に膨大な数の人間によって共有されるようになってきたかが実感できる。「〇〇語」、「ことば」、「コミュニケーション」といった話題を歴史的に考察する場合に、この事実を再認識することは重要である。

「ことば」離れをした個々の「言語」の、表層面を支える基本的な構成要素——意味単位（個々の単語など）、意味単位の組み立て規則（文法）、同種の意味単位のバリエーション（同じ範疇に分類される諸単語など）——のあり方は、言語によって異なる。また、個々の意味単位が持つ意味領域の輪郭は明確なものではなく、ある意味単位の領域と別の意味単位の領域の間に、必ずしも明確に線が引けるものではない。人間による意味づけは、すべてが割り切れるものとは限らないのである。

こうしたことを巡って、わたしが過去数年間にわたって話をする機会を持ったのは、関東地区で仕事をする精神科医たちの集まりにおいてであった。そこで出会った医師たちの多くは、患者の病名を付けることはできても、その病名の意味領域、つまり症状のあり方が決して一様ではないということを、診察の現場を通じて実感していた。患者の口から出る「ことば」。それに対する医者の側からの「ことば」。それらの「ことば」は、個々に自立して存在するものではなくて、その時、その場、当人たちの間にある諸脈絡の中で初めて意味を成す。医師たちは、患者が「ことば」で表現する「意味」と、その病状を「言語」で記述したものとの違いをいかに取り扱うべきかという事態に、繰り返し直面してきているので、わたしとは話がすぐに通じた。病院という現場での「伝え合い」の一部を支える「ことば」の話題は、その後のわたしの「言語」研究にもおおいに役立つヒントを与えてくれたのだった。

ファジィ理論に共鳴

一九八〇年代の半ば、音と声の演奏で新しい音楽世界を創ることに熱中していた箏曲の演奏者を通じて、わたしは物理学者の山川烈氏に出会った。山川氏はファジィ理論（「曖昧理論」とも呼ばれる）の世界的な理論家であるとともに、ファジィ・コンピュータの開発などを通して、その実用化にも携わっていた。また、山川氏は尺八の名手でもある。わたしには、尺八の音世界が彼のファジィ理論に大きな力を与えているように思えた。尺八の音は、奏者が呼気に込めた思いとともに、緩急と強弱を伴いながら移り変わる。その調べを成す音は、一音一音の輪郭が明確なものではなく、むしろ連続体であり、溶け合っている。聴き手がその調べに反応するとともに、奏者は聴き手の様子を感じ取り、その呼吸がまた調べの中に溶け合っていく。演奏はいつの間にか始まり、いつの間にか終わる。奏者、楽器、音、聴き手といった諸要素が、いわば渾然一体となっているのである。ファジィと尺八という一見かけ離れた世界ではあるが、わたしには、尺八の世界に見られるこうした諸要素と全体の関係のあり方が、「ことば」や「言語」に関する考え方と通じる部分がおおいにあるように思えたのである。

山川氏との対話を通じて、わたしがアフリカやアメリカ先住民の言語調査の中で、特に言語を構成する音声単位や意味単位について考えていたことと、彼のファジィ理論とが大きな共通点を持つことに気が付いた。「ことば」を話す時、たとえば「おはよう」のようなごく短い発話であったとしても、ただの一人といえども同じ声を出す人はいない。さらに厳密に言えば、たとえ同じ人でも一回一回その声は異なる。その声の連鎖に見られる声の質も力点も長さも異なる。それにもかかわらず、人びとはその声の連鎖を耳にして、基本的には「同じこと」を言ったと思う。そのことは、統計論や確率論を用いて客観的に整理することも可能である。しかし、ファジィ理論は、その場における当人にとっての意味を主軸において考察する。その点が最もわたしの関心を引いた。山川氏とは何度か面会の機会をもつうちに意気投合して、後には、ファジィの考え方について日本各地を二人で講演してまわることになった。

日常を客観的に整理するのではなくて、日常の実際に迫ろうとするファジィ理論は、日本では「曖昧理論」の名で広まった。しかし、それでは「理論自体が曖昧だ」と受け取られかねないので、わたしは「ファジィである世界」に、適切に対応するための理論として「適切対応理論」とか「そぐい理論」とでもした方がよいと主張したが、結局は「曖昧理論」という名が定着した。中国語では「模糊理論」と訳されている。ところで、先に単語一つとっても意味領域を確定することが難しいことに触れたが、それは「ファジィ」や「曖昧」という単語についても言える。たとえば、「ファジィ」や「曖昧」の類語を日本語で探してみると、約一五〇語ほども見出すことができる。大別すれば、知識不足からくる曖昧、多様な解釈があるので曖昧、蓋然性という曖昧、未経験のことなので曖昧、正確ではないので曖昧、定義不可能なので曖昧などとなる。具体的な単語を思いつくままに挙げてみると、「いいかげんな」、「おおざっぱな」、「おおよその」、「ありそうな」、「ぼけた」、「まぎらわしい」、「おぼろげな」、「うやむやな」など、キリがない。学問的であると感じる語としては、「憶測的」、「蓋然的」、「不整な」、「模糊たる」、「不意の」、「妥協的」、「随意の」などが挙げられるであろう。

「意味」の意味

「ことば」や「言語」がもつ「意味」とは何か。その「意味」の問題は重要であるが、そのことに深入りすると、行き詰まるか取り止めがないものになってしまう。そのため、ここで必要な基本的な話題を整理しておくに留めたい。

まず、「ことば」について考えるとき、一般的に、一つのまとまりのある発話全体を対象とするより、まず、「単語」と呼ばれる要素について考える傾向が見られる。そのような場合、たとえば「男はオオカミだ」というような発話に見られる「オオカミ」という単語は、動物の一種であるオオカミの比喩だとされる。それに対して、わたしは、「オオカミ」とは本来はある種の性質を意味する語であって、その意味領域の中に動物のオオカミが含まれているのではないか、という見方を持っている。たとえば、「サンゴ」は石なのか、植物なのか、動物なのか。「サンゴ」が動物であるということは、「サンゴ」という語が使われ始めてから長い年月を経て、自然科学の分野で決められたことである。現在、偽サンゴやサンゴ状の形をしたものは、本物の「サンゴ」ではないとされる。しかし、本当は、自然科学で言う「サンゴ」とされるようなものこそ、「サンゴ」という語の意味領域の一部を占めるものに過ぎないのではないか、とわたしは考えるのである。

人の「首」と「肩」、山の「裾野」と「中腹」、壁の「右」と「左」。一般には、それらの単語は明確な意味領域を持つものと見なされがちである。しかし、現実にこうした単語を「ことば」として口にする際には、その声も、単語の形も、意味する領域も、すべてが輪郭不鮮明なものである。たとえば人体を前にして、首と肩の境界を明確に示すことはできない。その区別は、個々の状況の中で、当人が適度に見出しているものなのである。

現在の世界のように、異なる言語を母語とするような人びとが共存する状況においては、「ことば」が持つ曖昧さはできる限り排除して、その共通基盤である「言語」としての意味を明確にすることが求められる。多言語社会においては、他の言語の話者とできるだけ十分な意思疎通を図るうえで、共通語として用いる言語と自らの母語との間の対応を確認せねばならないという必要に日常的に迫られているからである。

他方、ある集団が一つの「言語」を共有し、かつ、その土地では他の社会からの影響が薄い場合は、日常生活で用いられる「ことば」は、その場の状況や当人にとっての対応を抜きにしては語られないのが普通である。たとえば、食事中に、「もっと美味しい食べ物はないのかしら」という発話が見られたとしよう。そこに見られる「もっと」から「美味しい」や「食べ物」という語にいたるまで、すべてがその状況や当人との対応があって初めて意味を成すものばかりである。そこには共通基盤としての「言語」が共有されていることは確かだが、意味の大半はその場の状況や当人との対応によって理解されている。

事物の区切り方と文化差

「単語」のような意味単位を見ると、言語によっては思わぬ事物の区切り方をしている場合も多く見られる。たとえば、日本語で「右手がない人を見た」と言えば、一般的には肩から先、すなわち右腕がない人物を思うだろう。しかし、英語ならば、“hand”がない人と“arm”がない人とを区別することになる。

わたしの知人に、西アフリカのある小規模の集団の言語を研究している研究者がいた。とにかく語彙集を作ろうと頑張っていた。そこで、人体各所の名称を調べ、自分の「顔」を指差しながら、その単語を尋ねた。村人は「それは〝○○〟と言う」と、教えてくれた。翌朝、その研究者が家の外で「顔」を洗っていると、そばを村人が通ったので、早速、昨日の調査で教えてもらった「○○」という単語を試してみようと、自分の「顔」を指差しながら「今、わたしは〝○○〟を洗っています」と言った。すると、なぜか村人たちは声をあげて笑ったという。彼はすぐにはその理由が摑めなかった。しかし後になって、その言語には「顔」という単語がなかったということを知った。その「○○」という単語はいわば「表情」という意味で、「顔」を指すには「頭の前側」という表現を使うのであった。「わたしは、今、〝表情〟を洗っているところです」では、確かに可笑しい。余談だが、わたしがこの話を日本でして、「ところで、日本語では〝顔〟はどこをさすのか」と問うと、意外に多くの人びとが「頭部で毛が生えていない部分」と答えるので、わたしはそのことにも驚いた。それならば、禿げ頭の人は、頭部全部が顔になってしまう。法的な考え方では、左右両方の目じりと、耳の上部の付け根とを結んだ線の下が顔だと教えてくれた人がいた。その上の部分は額である。そうだとすれば、確かに顔の領域は確定できるが、日常の感覚からはかなり遠いものとなるのも事実だろう。

いかなる言語でも同じ内容が表現できる

言語による単語の意味領域の違いがある一方で、いかなる言語でも同じ内容を表現できることにも注意が必要だ。現在の世界には、七〇〇〇を超えると言われる大小様々な言語が存在するが、そのうちのいかなる言語でも、表現に違いこそあれ、同じ内容を表すことができる。たとえば、日本語の「水」と英語の〝water〟とは意味領域が異なる。「湯」という単語は、英語には一語では見出せない。しかし「湯」を表現することが必要であれば、〝hot water（熱い水）〟のように、〝hot〟という説明語を一語足せばよいのである。もし、「水」、〝water〟、〝maji〟（スワヒリ語）、〝shui〟（中国語）といった具合に、言語ごとにその意味領域が異なり混乱を生じる場合には、自然科学の分野が創り出した〝H_2O〟のような、意味領域を確定した用語（メタランゲージ）を作り出せばよい。ただし、その場合は、日本語の例では、当然のことながら大きな意味をもつ（水の）温度、透明度、それに対しての情動などは失われてしまう。それのみか、同じ H_2O である「水」と「湯気」と「氷」の区別も失われることになる。

「八丈島の〝くさや〟を肴に晩酌を」という日本語の文章を、ロシア語しか分からないロシア人に対して表現することになれば、ロシア語の単語を当てはめるだけでは無理である。そもそも当てはめるべき単語もない。そこで、「八丈」というのは島の名前であること、また、「くさや」とはいかなる食べ物なのか、「晩酌」とは何なのかを、多くの単語を補足して表現しなければならない。場合によっては、日本語一語に対して数十のロシア語の単語を使わねばならないかもしれない。しかし、それでもこの日本語の文章は、ロシア語でも表現可能であることは確かである。

学問は尻拭いである

学問の大部分は、基本的には未来を創ることよりは、過去や現状を追いかけることに関心を向けている。わたしは、それを常々、「学問は尻拭いである」と表現してきた。こうしたことは、研究対象の意味領域を確定する、いわば「定義」する試み一つにも言えることである。たとえば、「机」の定義として、まず「その上で仕事をするための台である」としたとしよう。木箱でも同じことができるが、だからと言って、「木箱は机ですか？」と問われれば、普通は否と答えるだろう。そこで、「机」というものをより十分に定義するためには、さらに的確な説明を加えて、木箱と机の違いを明らかにする必要が出てくる。このような作業を重ねることで、言い換えれば、その「机」という語の共通基盤(code)を確定するのである。こうした試みが通常対象とするのは、過去および現状に見られる共通基盤としての意味であり、未来に向けて改変されつつある創造的な意味ではない。

これに対して、通常の会話の中の「ことば」に話者が持たせる意味は、必ずしも共通基盤そのままの意味ではない。共通基盤としての意味に、何らかの個人的な気持ちが伴うことが普通である。一方、聞き手の側は、相手の発話の中で自分に知識や関心がある部分は十分に把握するが、自分にとって知識や関心がない部分の把握はごく限られている。少々大げさに言えば、人間は共通基盤としての意味を共有するとともに、日常生活の中でその意味を創造的に破壊し改変し続けているのである。

「言語」を記述するということ

以下では、「ことば」の話題はひとまず置いて、現場で「ことば」から「言語」の発見に至る話題に焦点を当ててみたい。

話されている「ことば」を対象として、そこから「言語」を探り出す。こうした行為が当然のことと思えるのは、わたしたちが文字文化にドップリとつかって生活しているからである。人が「話している」ということについて何事かを「話す」というのなら分かる。それは、噂や悪口などで普通になされている。しかし、瞬時に消えてゆく声の連なりで成り立つ話し「ことば」を対象にして、それを平面上に残されるインクの跡である「文字」に置き換え、そこから「言語」を見出す。それは人類の一部の者が考え出した文化的行為なのである。文化が異なれば、そのようなことには関心を示さない。むしろ、「ことば」が話者によっていかに話されているか、何をどのように話しているのかといったような、「ことば」の演奏面とも言えることに、もっぱらの関心が向けられるのである。

一九世紀初頭の東アフリカ沿岸部で、スワヒリ語と名付けられた「言語」を研究する人が、ノートを手にして住民の「ことば」を記述していた。それを見た一人の老人が「何をしているのですか」と尋ねた。「あなた方の言語を調べているのです」と、その研究者はノートを見せながら言った。文字の連なりを見た老人は「でも、ここからは声が聞こえませんね」と、いぶかった。それを見て研究者は「ここに、あなたのことばの“root（語根）”と“stem（語幹）”がまとめられているのです」と言った。老人は「わたしのことばには、“根”も“幹”もありませんよ」と、呆れ顔でその場を去っていった。わたしは、この話をアフリカや南米での現地調査の際に幾度も思い出した。

現場で「ことば」を捉える。それを「言語」化してみせる。その一例が、言語の「フィールドワーク」と呼ばれる行為である。

フィールドワークにおいて、自分にとっては未知の言語の姿を記述する。その基本的な作業は、まず、話者の「ことば」を分節された言語音声として捉え、一定の表記法で記述することである。その表記法に用いられる記号としては、まず、文字（ラテン文字、漢字、かな文字など）が考えられる。しかし、既成のいかなる文字であれ、世界の多様な言語を記述してゆくうえでは問題がある。たとえば、世界で広く使用されているものとしてラテン文字を用いたとしよう。しかし、同じラテン文字を用いても、言語によってスペリングと音声との対応が一定ではない。たとえば、「シ」という音声を、日本人の研究者であれば"shi"あるいは"si"と綴るだろう。一方、ドイツ人ならば"schi"、ポルトガル人ならば"xi"と綴ることになる。さらには、その文字が表す言語音声を客観的な基準によって性格づける方法が必要である。そうした基準がなければ、どれほど立派な研究であれ、他の者はその研究成果を利用することができない。そこで、「いかなる言語の記述であっても共通する根拠にのった記号を用いる」ことが要求される。

その解決の一例が「発音記号」というものの発明である。発音記号にはラテン文字が多く用いられているので、文字と同じように読むと考えている人が少なくない。しかし、発音記号は文字ではない。発音記号のアイディアはグラフの考え方を借りたものである。たとえば、一週間の日々の気温とその変化というような事象を記述するには、紙面上に座標軸をとり、横軸には日付を、縦軸には温度を記し、日々の気温を平面上に記せばよい。そうすることで、「暑い」とか「寒い」というような個人の主観的な評価に左右されない。客観的な根拠に基づいて対象を記述することができる。さらに、日々の温度を記す点を線でつなげば、その週の温度の変化は線グラフとなり、一週間の温度の推移を見ることもできる。つまりグラフとは、対象がもつ複雑な性質のいくつかを抜き出し、その関係性を可視化するための有効な方法なのである。

「言語」の記述法は、人間が言語音声を出す場合に必ず用いる口の仕組みや息の出し方等に注目する。子音の場合は、それを成り立たせる最大の要素として、横軸に口のどの部分をどのように操作して接触させて発音しているか（両方の唇を閉じている。舌先が上の歯茎の裏についている、など）、縦軸にその声がいかなる種類のものか（詰まった声、鼻から漏れている声、など）を置く。そうすることで、基本的には、人間が言語音声として用いる子音のすべてを、その縦軸と横軸が作り出す平面上に表すことが可能なのである（なお、母音の場合は子音の場合とは表の基準を成す要素が異なる。その説明は煩瑣になるため省略する）。

「言語」を支える基本要素

世界のいかなる言語であっても、言語を支える基本要素は次のような一定の形式を伴う。なお、「音声単位」とは、現実に聞こえる「ことばの声」ではなくて、「言語」を支える個々の「音声の種類」である。

（1）音声単位
（2）意味単位
（3）組立規則
（a）音声単位の連鎖に見られる組立規則
（b）意味単位の連鎖に見られる組立規則
および（a）、（b）に見られる並列規則

まとまりがある個々の意味単位には、「単語」という語が用いられるのが普通である。ところが、そもそも「単語」とは何かと問われると、その答えは難しい。というのも、世界の言語の中には、単語という形で摑むことができない形をもつ意味単位が少なからず見られるからである。

たとえば、単語の形を持つ意味単位の例を挙げれば、日本語では／kabe／（壁）、／midori／（緑）、英語では／buk／（本。／buk／の表記は音素記号で、通常の綴りではbook）、／put／（置きなさい）などがある。こうした例は、そのまま「単語」と呼んでも支障がない。これらは、言語学では「独立形態素」（「自由形態素」とも言う）と呼ばれる。

ところが、世界の言語には、単語のように独立して使えない意味単位も普通である。それらの意味単位は、何か別の意味要素と接続することで初めて意味を成す。こうした例を言語学では「従属形態素」（または「拘束形態素」とも言う）と呼ぶ。以下に、従属形態素の例を"abc"という記号を用いて示してみよう。

① 前に何か別の意味単位がつかなければ実現しないもの（-abc）。
② 後ろに何か別の意味単位がつかねば実現しないもの（abc-）。
③ 前後に何か別の意味単位がつかねば実現しないもの（-abc-）。
④ 中程に何か別の意味単位が挟み込まれないと実現しないもの（a-bc、ab-c）。
⑤ 核となる意味単位の中に一定の形式で他の意味単位が組み込まれるもの（a-b-c-）。

「形態素」というのは、個々の言語に見られる「意味の最小単位」であるとも言えるだろう。

なお、こうした従属形態素の連鎖でも、たとえば⑤の例にあたるアラビア語の〝k-t-b（「書くこと」に関係する）〟に〝a-a-a（彼は○○をした）〟という意味が挟まれて〝katada（彼は書いた）〟となるような例でも、それは一つの「単語」であると見なすこともできる例がある。しかし、「単語」とは何かを明確に示すことは難しい。次に挙げる例のように、世界には「一語一文」と呼ばれるようなものをもつ言語も普通に見られるからである。

【東アフリカのスワヒリ語】

nakupenda

英語の〝I love you.〟、日本語の「わたしは　あなたを　愛します」に当たる〝一語一文〟表現であり、従属形態素が連続して成り立つ。その仕組みは以下のようになる。

n-　　ni-（わたしは）の省略形
-a-　　動詞の現在形、事実形
-ku-　　〝あなたを〟
-pend-　　動詞〝愛す〟
-a　　動詞の肯定形変化の一種

【インドのムンダリ語】

senakanako

英語の"They have gone."、日本語の「彼らは　行って　しまった」の訳である。その仕組みは、以下のようになる。

sen-	-akan-	-ako
行く	完了形	彼ら

もう少し長い「一語一文」の例を挙げてみよう。

【スワヒリ語】

gari	**lililoendeshwa**	**naye**
車（単数）		彼によって

li-	-li-	-l(i)-	-o-	-end-	-esh-	-w-	-a
それ	過去形	それ	関係代名詞	行く	させる	られる	動詞肯定形

（直訳「彼によって・行か・させ・られた・ところの・その・車」）

「彼によって運転されたその車」

なお、これはスワヒリ語ではきわめて普通の表現であり、故意に面倒な例を挙げているわけではない。

さらに、ヨーロッパ諸語に慣れている人びとにはとっつきにくいと推測できる「一語一文」の例を、ネイティヴ・アメリカンの言語から挙げてみる。なお、例として挙げる文の意味は、日本語ならば「彼は　それを　あなたに　与えるだろう」、英語ならば“He will give it to you.”である（例の左は従属形態素別に分けたもので、その横は直訳である）。

【ヤナ（Yana）語】（カリフォルニア州）

ba;jamasiwa?numa

ba;-	-ja-	-ma-	-si-	-wa-	-?numa.
丸いもの	向こうの方	～に	～をするだろう	～の方に	あなた

【南パイウート（S. Paiute）語】（アリゾナ州、ネバダ州、ユタ州、カリフォルニア州に点在）

mayavaaniaak?ana?mi

maya-	-vaania-	-ak-	-?ana-	-?mi.
与える	～であろう	見える物体を	見える生き物が	あなたに

なお、多くの言語では、意味単位が列車の車両のように整然と連結することはない。意味単位は、その前後の意味単位との関係で、音声の一部が溶け合ったり、変化したり、消えたり、新たな音声が生じてきたりすることが普通である。

こうして見てくると、例にあげたものの中には、すでに「語順」とされるものが示されていることが分かる。一般的な言語での語順の基本型は次のようになる。

「Aは　Bを　～する」

S（主語）　O（目的）　V（動詞）　日本語など

S　V　O　英語など

V　S　O　アラビア語など

これらの他にも、トロブリアンド諸島（パプアニューギニア）のキリヴィラ（Kilivila）語のV・O・S型のものなど、これら三要素の組み合わせはすべて見られる。

さらに、以下に示すスーダンのマディ（Madi）語のように、語順が文法的な違いを示す例もある。

S　V　O　動詞の完了形

S　O　V　動詞の未完了形

また、日本語のように主語とされるものがなくても成り立つ例や、日本語の「て」、「に」、「を」、「は」に当たるような（格）変化形を持っているので、語順は自由であるという言語も多く見られる。

「意味の最小単位」としての「形態素」

個々の言語に見出せる「意味の最小単位」としての「形態素」は、フィールドワークの場で「ことば」から「言語」を見出す際には便利ではあるが、その判定には一定の規準を定めておかないと混乱を起こす原因となる。

たとえば外来語の場合、歴史的に見れば元の土地では二つ以上の形態素で構成されていた語であるが、現在の土地では一形態素として考えられている場合がある。中国語では二語であったものの外来語なのだが、日本語では一語であるとしか思われないものは非常に多い。音声イメージから判断すれば、一形態素とされている語の一部は、別の形態素なのではないかとする考えが出ることもある。英語には"flush"、"flame"、"flare"などなど、"fl-"を語頭にもつ単語が多い。これらの語に共通する意味は、何かが「パッと」閃くようなイメージである。そうならば、"fl-"が「パッ」、それに続く部分がその閃きの性質のようなものを意味しているので、これらは二つの形態素なのではないかなどという考え方をする者も出る。こうした例での「意味の最小単位」の認定は、その目的次第で異なったものになる。

身近な例を挙げてみよう。"rewrite"、"recopy"、"return"などの語は"re-（繰り返す）"と、それに続く語の二つの形態素からなるということは簡単に分かる。それならば〝repeat（繰り返す）〟という語の〝re-〟とは何か、それを取り除いてしまったら意味が見当たらない〝-peat〟とは何なのかという話が出てきてしまう。〝repeat〟は二つの形態素からなるのか、それとも、この語は一形態素として認めるかどうか。〝night train〟は「夜の汽車」なので二形態素、しかし「夜汽車」の場合ならば一形態素。それで認められるのか。学者は、そんなことをめぐって延々と議論する。結局、「学者はヒマなのですね」と言われても仕方がないのかも知れない。

たとえば、日本語の「これ」、「それ」、「あれ」や「どれ」は、それぞれ一形態素である。しかし、理論的に分析すれば、〝k-ore〟、〝s-ore〟、〝a-re〟、〝d-ore〟と分析され、〝k-〟、〝s-〟、〝a-〟、〝d-〟は、それぞれ話者と対象物との「距離」の変化を示し、続く部分は「空間」を示すので、これらの語はすべて二つの形態素からなるとも言える。このように、「意味の最小単位」の判定をめぐっては、厳密に考えれば考えるほど、次々に異なった説明が見出されることにもなる。

第二次世界大戦後、記述言語学が盛んな時代であったが、日本の言語学者がアメリカの学会に出席した際、アメリカ人のある学者が「日本語の〝flower〟、すなわち〝hana（花）〟は〝ha（葉）〟と〝na（菜）〟の二つの形態素からできている」と発表し、驚いた日本の学者が「それは日本語を母語とする者から見ておかしい」と、異議を申し立てたところ、「理論的にはそうなる」と言って頑張るアメリカ人学者とつまらぬ論争をしたという話が残されている。こんなところにも、「言語」というものの捉え方の多様性、言い換えれば自由度の広さ、そして「曖昧さ」が顔を覗かせている。

3 「言語」に触れる

「ことば」、「言語」、「記述」

ここまで、「ことば」が持ついくつかの側面を挙げて考えてみた。その要点は、人間は「ことば」を話す動物であるが、その「ことば」を紙などの平面状の物体の上に分節記号によって書き写すという技術を見出した。そのことによって、人間は「ことば」の背後にある「言語」なるものを見出すとともに、いつしか人びとは「ことば」と「言語」の領域の違いを気にすることさえなくなった、ということである。

西欧の伝統に則った言語研究は、まず、話されている「ことば」の記述であり、そのための方法論（いかにして「ことば」を捉えればよいのか）と、技術（いかなる文字、いかなる記号をどのように用いるのか）、その結果として何がなされたのか、などを基本的な問題としてきた。すなわち、研究対象とする「ことば」の背後にある「言語」を、視覚的にどこまで正確に再現できたかを確かめることを、なすべき課題としてきているのだ。

「記述」という用語にも紛らわしさがある。わたしたちは文字文化の中で生活しているので、すべての種類の研究は基本的には記述されている。しかし言語研究の場では、「記述研究」とは、たとえば規範的な立場から記述することではなくて、対象をできる限り「ありのまま」に記述することを意味している（ただし、ここで扱う例は、できる限り簡略した形で示すことにする。それは、本書が、具体的な言語の正確な記述を目指すものではないからである）。

言語のフィールドワーク

「フィールドワーク」は言語研究の基礎である。それは現場でインフォーマント（調査対象者たち）を相手に、その人物の「ことば」から「言語」を探り出すという作業だ。

以下に挙げるのは、その順序通りに作業を進行させるということではなくて、フィールドワークに付きまとう必要項目という意味である。

多くの人が見過ごすことだが、まず調査者当人の「健康」と「予算」が大切である。健康に関しては、単に病気ではないという程度のことで、特別な体力はなくとも普通は支障はない。しかし、調査に必要な費用は、どこからか調達せねばならない。恵まれている立場にいる人びとは、研究費という名目で予算を取ることができる。わたしの場合は単独研究者なので、予算は自分でなんとか工面しなければならない。知人の助けを受けたり、会社などから費用を確保したりすることになる。調査成果の何らかの還元を条件に、資金を調達するということもある。

次に、調査地の決定である。そのためには、目的地に関する信頼に足る情報を出発前に十分に集めることが不可欠だ。調査対象地に関する言語研究の文献にもできるだけ多く通じていることが前提となる。周辺の言語に関する先行研究に通じていなければ、十分な成果は望めない。それは、たとえ対象とする言語が周辺の言語とはまったく異なる独自の構造をもっている場合でも同様である。

個人的な経験では、わたしが初めて出会う言語を話す人びとの中に入っても、そこにはわたしが知っている言語が何らかの形で多少は話せる人物が必ず見つかった。すなわち、文字通りにまったくの未知の言語世界に入るということはなかったのである。たとえば、ある土地で出会った人物は、別の集団出身で、その土地では孤児として育てられたのだが、子供の頃に話していた出身集団の言語を不完全ながらも覚えていて、わたしとはその言語で少し通じることができたという例もある。その種の人物が口にしたわずかな句や文の助けで、自分が研究対象としている言語の構造の概要が摑めたことも少なくない。また、調査開始と同時に、その言語の仕組みについておよその見当がついてしまうような場合、それが逆に思わぬ落とし穴になることもある。

言語調査を始めるに当たって必要なことは、記述の「方法」と、それを行う「技術」である。他者の言語などを調べることが許されるか、そのようなことをする権利はどこにあるのか、といったようなフィールドワークという行為自体に関する根源的な問題を除けば、現場での「言語」の発見には特別の思想や、文化に関する哲学的な考慮は必要ない。「言語」そのものに深入りしていけば、それは脳生理学などの医学的な問題に直結することになるだろうが、現場での言語調査ではそこまで立ち入ることはない。他方、フィールドワークで「ことば」に関する調査に入る場合は、「思想」を排することはできない。一つひとつの発話の背景が「文化」の問題と直結するからである。つまり、「言語」という仕組みに則って、「ことば」は「何か」について「どのようにか」話されているからである。

そして、海外の現場に向かうことになるとしよう。目的地に近い主要都市からが調査地に向けての本格的な移動となる。場合によっては、目的地まで二日も三日もかかる。たとえば、途中まで長距離バスを利用するとする。長い時間をかけての移動中に、隣り合わせになる乗客と知り合いになることも少なくない。その人物が、わたしの目的地の出身者であることもしばしばだ。そこで、第一の問題が生じる。そもそも、そんな奥地から都会に出てきているような人間は、生涯を小さな社会の中で過ごす人びとが住む村では一般的な人物ではないことは明らかだ。言うところの「マージナル人間」だ。運が良ければ、その人物は村で尊敬されている実力者かもしれない。運が悪ければ、その人物は村一番の嫌われ者かもしれない。そのいずれかで、わたしの滞在は大きく左右されることになる。調査にも大きく響く。そのような事態は、あらかじめ予測できることではない。また、辿りついた村には都会から来ている役人が駐在しているかもしれない。村に着くなり、調べがあるからどこそこに出頭するようにと、その役人から言われることもある。そうした場合は、何らかの理由を見つけて、他所からの訪問者から幾ばくかの金品をせびるための行為であることが少なくない。そうかと思うと誰かに直接襲われることもあるし、持ち物を狙われることもある。ただ、わたしの場合は、世界各地でのフィールドワークの中で、どういうわけか一度たりとも嫌な目に遭ったことがない。気まぐれ泥棒や悪質な役人と、楽しく飲み明かした思い出だけである。

そしてやっと、その土地の人びとの中からインフォーマントを探し出し、調査開始となる。「どのようにして、インフォーマントを見つけるのですか?」と問われることが多いが、そのためのマニュアルはない。最終的には行き当たりばったりと言うほかない。ただ、あえて言えば、綿密な予定を立てておくこと、しかし、実際にはその予定はまったく当てにならないであろうこと、この相反する二つのことを同時に心に留めておくことである。快く挨拶した人物が次に出会った時にはどんな態度をとるか。時間を決めて約束した人物がその時間に姿を現すかどうか。予定通りに行かない場合に備えて、自分が何をするかを定めておくことが必要だ。

大別すれば、言語の調査者には二種類ある。第一は、複数のインフォーマントを自分が指定した場所に呼び出して、その場で次々に質問を課し、それを記録していくタイプの者である。第二は、その土地の人びとの生活の中に自然な態度で入り込んで、近隣の住民との付き合いの中から必要なことを探し出してゆくタイプの者である。

わたしが知る多くの調査者は第一の型である。わたしは、基本的には第二の型に属す者である。まず、調査地の役場などに自分の職場と地位を示す手紙を送る。特に日本国内の離島の方言調査のような場合は、めておくように要請する。調査対象者は、いくつかの条件を満たす者であること（生まれた場所、育った場所、調査対象地から離れていた場合の時期と期間、性別、職業など）を書き添えておく。そして、日時を定めて、特定の場所にその人びとを集め、調査票を前において次々に質問を行う。ほとんどの場合、相手は老人だ。彼らは初めて接する研究者という人物を前に緊張して、慣れない対話を続けることになる。その姿は痛々しい印象さえ与えることもあった。それでも、調査者は「学問のために」という信念からか、相手に対して質問の手を緩めない。そして結論的には良い仕事を成し遂げる。ただ、わたしはその種の調査は苦手である。

以下に示すことは、「言語」のフィールドワークを行う場合に、現場でそのまま役立つというマニュアルではない。対象とする「言語」の単語や仕組みを探り出すためのヒントとなるというものである。また、以下の項目のすべてが現場では必要になるのでもない。

「対立」を見出す

フィールドワークで最初に手がけることになるのは、対象とする言語に見られる単語の「対立(contrast)」を見出すことである。日本語では「わたしはパリ(フランス)に行った」と、「わたしはバリ(インドネシア)に行った」との区別は[p]と[b]の違いだけで難なくつく。しかし、多くの言語では、その違いは意味の上では認められない。こうしたことが起きる根拠を、以下の五つの点を中心的な手がかりとして探るのである。

(1) 音素

「音素(phoneme)」とは、個々の言語を構造上支える言語音声の最小数の種類である。音素を捉えるためには、まず、現地で調査対象者が実際に話す「ことば」をできるだけ正確に記述することになる。その記述には、国際音声字母(IPA [International Phonetic Alphabet])などの記述記号を用いる。国際音声字母は、わたしたちにとっては非常に風変わりとされるような言語音声まで含めて、世界のいかなる言語音声でも共通の方式で記述できるように工夫されている。それは発音の際に用いる発声器官(口、舌、喉など)の構造と息の出し方に根拠を置く基準である。そうして記述された個々の音声は「単音(speech sound)」と呼ばれる。

ある人の［kabe］は、別の人物では［kʼabe］であっても、日本語の場合、その両者に意味の違いは認められない。ともに「壁」を意味するだけである。しかし、一旦、［kabi］と言ってしまったならば、それは［e］と［i］の音声が違うだけで、日本語ならば意味の違いが生じてしまう。言わば、［e］と［i］という単音の違いは、日本語では意味の違いを生じさせる。つまり、日本語においては、［k］［kʼ］とには対立はないが、［e］と［i］には意味の対立があると考えるのである。そこで、日本語においては、［k］［kʼ］はともに同じ音素/k/に含まれるものであるとし、［e］と［i］とは対立があるとしてそれぞれ個別の音素/e/と/i/であるとする。ただし、日本語以外の言語では、［kabe］と発音しても、［kabi］と発音しても意味の違いを生じない例もある。その場合、［e］と［i］との間には対立がないとされ、その言語では［e］と［i］は一つの音素に含まれる「異音（allophone）」として扱われる。

（2）音声の長短

日本語では、「おじさん」と「おじーさん」、すなわち音声が一倍か二倍以上かで、意味が異なってしまう。対象とする言語にも、そのようなことが見られるかどうかを調べる。

（3）音声が詰まるか、詰まらないか

日本語では「かこ（過去）」と「かっこ（括弧）」では意味が異なる。このように、音声が詰まるか、詰まらないかで、その言語では意味の違いが生じるか否か、つまり、「対立」の有無を調べる。

（4）有声音／無声音、無気音／有気音の対立

基本的には（ということは、さらに複雑な例もあるということだが）、「有声音／無声音」＝「声帯を閉じない／声帯を閉じる」、「無気音／有気音」＝「破裂させない／破裂させる」といったことが「ことば」を発する時に見られることがあり、その使い分けが言語によっては単語の意味の違いをなしている例がある。

たとえば、日本語には「破裂しない／破裂する」を根拠にした対立は見られない。しかし、「声帯を閉じない／閉じる」による対立は見られる。たとえば、「かり（kari、狩）」と「ガリ（gari、寿司につくガリ）」では、[k]と[g]の違いによって、単語の意味は異なったものとなる。隣国の中国語（北京語）では、たとえば、[ta]と[tʻa]、[ba]と[bʻa]といったような、「破裂しない／破裂する」という音声の違いが、意味を異なったものとするのである。

（5）音調

単語の中に見られる音声の「音調（tone）」、つまり「高・低」、または「高・中・低」の組み合わせが、意味の対立をなす例もある。一般的には、そのことが一部の単語のみに見られるというのではなくて、対象言語に含まれる単語のすべてに見られることが条件となる。たとえば、日本語の東京方言では、「昨日、カキ（柿、低高）を食べた」「昨日、カキ（牡蠣、高低）を食べた」では意味が異なる。音調言語と呼ばれる言語では、このようなことが全単語に見られる。また、高低のあ

り方は、一音一音が区切れている例だけではなくて、うねりをもって発音される例も普通である。身近な例では、中国語（北京語）のテキストを覗けば、「四声（しせい）」と名付けられた音調にその例が見られるだろう。

なお、アフリカの言語には複雑な音調を持つ言語が多い。その多くは、中国語、ベトナム語のように音調の対立が一般的な単語の面のみで機能しているのではなくて、文法的な面（すなわち、動詞の変化形など）でも機能している例が多い。たとえば、音調によって動詞の変化がなされるというようにである。

「言語」の裏情報

個々の単語の奥には、表面の意味とは別の種類の意味が見られる。まず、次の例から見てみよう。

英　　語　He　saw　it.

日 本 語　その人は　それを　見た。

スワヒリ語　A ― li ― ki ― on ― a.

これらはすべて、一応は同じ内容をもつ文である。しかし、英語ではその人物は「男一人」であることが分かっても、日本語やスワヒリ語の場合はその人物が男なのか女なのかは分からない。また「それ」というのは、英語では「物が一つ」であることが分かるが、日本語の場合はそれが単数なのか複数なのかは分からない。スワヒリ語の場合は、単に一つの物であるのみか、その物体は何らか小さい物であるか、欠陥がある物なのかが分かることになる。

「単語」の背後に隠されている「裏情報」とも言えるもののあり方を知っておくことは、フィールドワークでは非常に役立つことである。集めた単語の語彙分類や品詞分類は、フィールドワークが一段落してからの話である。

（1） 数の表現形式

言語には、形の面で単数形と複数形とを分けるものがある。それは「形」の上ではということであって、その形式は必ずしも同じ種類のものの「単数：複数」を示すとは限らないし、そのものが具体的なものなのか抽象的なものであるのかも分からない。「単数：複数」という形式の上では、そのあり方は言語によって様々である。単数形と複数形では意味が異なる例も少なくない（たとえば、英語の"water（水）"と"waters（海）"）。さらに、複数形には何らかの別の音声が付される（英語の"-s"）のではなくて、単・複でまったく異なる語形をもつ言語例も多い。

①特に「単・複」の形式をもたない（ただし、複数を表す単語が皆無という言語は存在しないであろう）。

②単数／二数（双数が一般的）／三以上が複数形。なお、双数に関しては、この形式とは別に「対（つい）（英語の"a pair of"）」という単語をもつ言語は多い。

③単数／双数／三数／四以上が複数形。この種の言語では、すべての場合にこれら四種に分けて表

現するのではなくて、普通は「単・複」の二種で表現されるようである。何かの半分、四分の一などの表現は、それら自体を表す単語（英語の"half"、"quarter"などを別とすれば、一単語として見られない。また、珍しい例としては、様々な事物の中での「単・複」）、すなわち、あるものを単に示して表現する場合（"a book"、"books"など）と、同じ種類のものがある中での「単・複」（"one of"など）とは別の語形を使う言語も見出せる（東アフリカのカレンジン語など）。

（2） 人称表現形式

これに関しては取り扱いが非常に難しい問題があるので、その表示も一筋縄ではいかない。ただ、注目する点は、語形が意味する人間の数、性別、社会的地位、属性、そして、当人との対応関係等が、単語の中に複雑に組み込まれているのみか、その語形が人称と呼べるものなのか、それとも、一般的な単語なのかの識別が難しい言語も多いということである。

最も身近な形式は、ヨーロッパの諸言語の多く（英語、仏語など）に見られるもので、人間を当人・相手・第三者の三種類に区別し、さらに各々の単数・複数の区別を語形で示すという例である。加えて、言語によっては性別を示す語形が見られることもある。また、敬語に当たる表現として、相手が一人の場合でも二人称の複数形を使うとか、三人称の単数形を使うといったような例も見られる。

人称形式にはきわめて普通に見られるのだが、欧米の諸語や日本語には見られないので現場で見落とす可能性があるのは、「わたしたち」にあたる語に二種類の単語を持つ言語が（特に太平洋諸島には）きわめて多いということである。それは、自分を含む複数の人間が集まっている時に、何らかの意味で自分の側にいる「わたしたち」と、相手の人びとをも含めた「わたしたち」との単語を使い分ける言語である。言語学では「除外的一人称複数形」と「包括的一人称複数形」と呼ばれる。例を挙げれば、わたしたちが二、三人で歩いている時、路上で、向こうから来た知人に会ったとする。「どちらにですか？」と、その知人が挨拶ついでに言った場合、「わたしたちは駅に行くところです」と、わたしが答えた途端、その知人は驚いて、「いや、わたしは行きませんよ」などと慌てて言うことはない。自分は別だということは当然であるからだ。ところが、立ち話をしているうちに、次の日曜日にピクニックに行く話題が出て、皆がそのことに賛成した場合、「それでは、わたしたちはピクニックに行くことにしましょう」と言ったとき、その知人は「そうです。わたしたち、行きましょうね」などと表現することになる。この場合の「わたしたち」には、全員が含まれているのである。路上の選挙演説などで「我々は……」と叫んでいる人物の前に、「その我々とは誰のことだ。俺たちは違うぞ」などと声をあげている人がいるが、「除外形」、「包括形」をもつ言語ならば、その種の混乱はないのである。

珍しい例としては、四人称とも言える語形をもつ言語がある。「排外的四人称（obviative）」などと呼ばれることがある。この種の単語は北米の東部沿岸部の言語に見られるものであるが、その語形は話題の中の人物のさらに奥の人物を表す。

たとえば、わたしたちがどこかに集まっているとする。その場に来るはずの太郎が、その場にまだ姿を現さない。「太郎はどうしたのだろう」と、誰かが言う。「電車が遅れているので、彼①は遅れて来るのでしょう」と、誰かが言う。その時、別の人が「そういえば、わたしは太郎に頼まれて、太郎の弟の次郎に本を貸してあるのだが、彼②はまだ返してくれない」と言い出す。英語ならば、太郎を指す「彼①」も、次郎を指す「彼②」も、ともに"he"である。しかし、その種の言語では、「彼①」と「彼②」とは異なった単語なので、その区別は簡単である。「彼②は彼①の車で怪我をして、今、入院中だ」と言えば、次郎は太郎の車で怪我をしたのだ。「彼②は彼②の車で」と言えば、次郎は自分（次郎）の車で怪我をしたのである。だから、英語の場合に見るような、この"he"や"his"は誰を指すのか、といった試験問題は成立しない。

人称形に相手との親密の度合い、社会生活での上下関係などの人間関係が入り込む場合は、その形はヨーロッパ諸語のようにはならない。たとえば、日本語の「ぼく」は、簡単に一人称単数形の一例であるとされて、人称表に現れる。しかし、実際の用法を見てみれば、何事かをしている子どもに向かって、「ぼく、何をしているの?」と大人たちが言っている場面は普通に見られる。英語では、相手に向かって"What am I doing?"と尋ねることはない。新婚の夫婦の中には、朝、会社に出かける夫に向かって「ぼく、早く帰ってきてね」などと玄関先で言っている奥さんの姿がある。このように、「ぼく」という語は意外に多くの場面で「あなた」なのである。その場合は、人称表には「数」、「当人・相手・その他の人物」という関係のほかに、「人間関係」という要素を書き込んだ表が必要となってくる。

（3）「クラス」と呼ばれる形式

言語には面白い形式が多くの言語に見られる。「クラス」と呼ばれるものである。単純化してそれを示してみよう。たとえば、ある言語から一〇〇〇の名詞を拾い出してみたら、そのうちの半分、すなわち約五〇〇単語は、"-o"で終わっていて、残りの五〇〇単語は"-a"で終わっているとする。それだけのことならば問題ない。しかし、一般的には、その単語は別の単語とのつなぎで、定まった形式にそろえなければならないのである。

たとえば、ある言語で「芋」は"imo"で、「熊」は"kuma"であるとする。また、「大きい」は"dek-"であるとすると、「大きい芋」は"dek-o imo"に、「大きい熊」は"dek-a kuma"としなければならないということである。この種の決まりは「文法的一致」と呼ばれるが、その関係は名詞と形容詞、名詞と動詞、その他にも多様な関係に見られるものである。

このような性質をもつ単語に、ギリシア文法では「男性形」、「女性形」という名をつけたが、注意すべきは、それは「gender（類別）」上でのことであって、動物に見られる「sex difference（性別）」ではないということである。もちろん、この名称の区分の根拠には、ある程度は自然の性別にそったものが選ばれているが、所詮は形式上の問題に過ぎない。そもそも、「男性」、「女性」という区分の仕方も、地中海文化に基づくものである。もし、同様のことが中国語に見られたならば、文法家はこの二種を「陰」と「陽」、または「明」と「暗」などと命名したかもしれない。また、言語は変化するものであるし、新しい意味要素を次々に誘い入れるものでもある。もし、その言語に日本語からの外来語として、"kimono（着物）"が入ったならば、語尾が"-o"で終わるから「男性形」、"geta（下駄）"が入ったならば、語尾が"-a"で終わるから「女性形」となることは十分にあり得ることである。

この形式は、ドイツ語のように三種類あれば、一般的に「男性形」、「中性形」、「女性形」などと呼ばれ、四種類以上あれば、番号を付したり、多くの単語が同じ類に入る単語の性質を基準にして命名されることになる。その基準で、最も多い例は「自ら動くもの（animate）」と「自ら動くことがないもの（inanimate）」の区分である。次が、その事物の形状、性質などとなる。アフリカの言語には、名詞の「クラス」が一〇種類を超すものが多く、それらの単語が文の中で他の単語との関係で複雑な変化形をもつことになる。

また、日本語をはじめ、他の多くの言語には、数を付した場合に「クラス分類」が伴うという例が多い。日本語の例をとれば、人間ならば「ひと-り」、ボールならば「に-こ」、犬ならば「ご-ひき」となるようにである。この種のものは、「数類別詞（numeral classifier）」と呼ばれる。

（4） 空間指示表現形式

人間は完全に連続体である空間と時間を、単語形式でいくつかに切り分ける。空間の場合は、日本語では、話し手にとって最も近い場所にある事物は「これ」、次が「それ」、そして遠くにある事物を「あれ」という語で示す。このことにやや深入りすれば、事物が遠くにあっても、その場に話し相手がいれば、「あれ」が「それ」になる。サッカーのボールを蹴って、それが狙った場所から大きくそれて遠くに転がっていってしまった場合、遠くのボールは「あれ」である。しかし、そのボールのそばに人がいれば、「そのボールを、こっちに投げてください」と言うことになる。「あのボールを……」と言えば、その人物は振り返ってしまうだろう。

また、この種の単語が、何かを形容する意味で使われる場合は、その語形が変わることもあるし、単語の数に変化が見られることにもなる。日本語の場合、「この本」、「その本」、「あの本」となる。しかし、英語の場合は、"this book"、"that book" はあっても "it book" という表現形はない。また、想像の領域を空間という語で捉えれば、目の前にはないが、「例の」、「以前に触れたことがある」という意味での「その」、「あの」などの表現のための別の形をした単語をもつ言語も見出される。スワヒリ語はその一例である。英語の冠詞 "the" は、意味の上ではその例に近い。

（5）　時間表現形式

話者と発話内容との関係で、形式上では何種類かの異なった単語を使う例としては、大別して、以下のような二種類のものが見られる。

①過去、現在、未来などを指示する形。すなわち、話者があることを言った場合、その内容がすでに終わってしまっているのか、目の前でしていることなのか、まだしていないことなのかを、単語の形で分けるという例である。英語では、"I saw him tomorrow." という表現はできない。なぜならば、"saw" というのは過去のことであるのに、"tomorrow" という未来を表す語が、そこに混在しているからである。こうして、「過去」、「現在」、「未来」を意味する語形式を持っている言語の場合、動詞には「時制（tense）」があるとされている。なお、時間の分け方には、今から見た過去・現在・未来という区分のほかに、昨日・今日・明日以降という区分をも

つ言語（西アフリカの一部）も見られる。さらに、時間の区分は、過去に関する形式の数の方が、未来に関する形式区分よりは多いのが普通である。たとえば、過去に関しては「単純過去形」の一種類だけだが、未来表現に関しては「近未来形」、「中未来形」、「遠未来形」の三種類があるといった言語は存在しないであろう。その逆は普通である。

②言語形式としては、過去形も、現在形も、未来形もない言語は非常に多い。その場合の時間表現は、具体的に時間を表す語を足せば十分なのである。たとえば、「今、する」、「さっき、する」、「あとで、する」と言えば、時制などというものが一切なくても支障はない。そうした言語は、「相（そう）（aspect）」の言語と呼ばれる。最も一般的に見出せるのは「完了」、「継続」、「起動」、「習慣」などである。世界の言語を広く見渡してみると、時制のみという言語は見当たらない。どこかに「相」表現が見つかる。他方、圧倒的に「相」表現だけで成り立っている言語は珍しくない。

（6）　気持ちが込められた表現形式

これは話者が表現する内容に込める心の有り様を形式化する例を言う。それは「法（mood）」と呼ばれるが、文法書で「法」という用語を目にした時、この用語が何を意味するのか分からなくなるという人が多い。そして解説を見ると、ますます理解できなくなったという経験をもつ人も多いと思う。しかし、内容はそれほどのことでもない。「発話」の中に込める気持ちによって、単語の形が規則的に変わるということに過ぎない。

「ここに来い」という表現は何語でも可能である。ところが、その言い方にも、自分は言いたくないのだがという気持ちを込めて言う、自信がないのだがという気持ちで言っている場合もある、どうしてそんなことが分からないのだという怒りを込めて相手に言う場合もある、などなど。人は様々な気持ちを込めて何かを言っている。その気持ちの込め方によって、一定の変化形なり語形なりを持っている場合、それが「法」と呼ばれるのだ。ヨーロッパ諸語の場合は、それは動詞表現に現れる。したがって、ある変化形は「丁寧表現」となり、ある変化形は「仮定表現」となったりすることになるのである。

（7）「〜をする」、「〜にされる」の形式

「あの犬がわたしを噛んだ」、「わたしはあの犬に噛まれた」の表現で、「態（voice）」と呼ばれる。「能動形」、「受身形」などとも呼ばれる。このことでは、次のような場合を考えておく必要がある。

①言語によっては、受身形という表現形式が存在しない。すべて能動形で表現し、受身のような内容は、その時の気持ちを意味する単語をつけて表現することになる。

②日本語と同様な程度で受身形が使われる。

③誰にされたのかということが分からない場合は受身形を使わない。たとえば、日本語では「世間にこんな目にあわされている」、「皆から妙な目で見られている」などは成り立つが、多くの言語では、「人びとは、わたしをこんな目にあわせている」、「世界は、こういう目でわたしを見ている」というような表現のみを使う。英語の“They say……”や、フランス語の“On dit

……"などに、その例が見られる。

④受身形使用が過剰である。その種の言語では、町から蚊を追い出す運動でも、「みんなで町から蚊を追い出そう！」というようなポスターに、「蚊よ、町から追い出されよ！」といった標語が入ったものが見られるのだ。

なお、受身表現に関しては、一般的には他動詞の場合のみにこの形式は使われるが、自動詞の場合にも受身形が使える言語も多い。「昨年、わたしは父に死なれた」、「待っていたのに、先に行かれた」という表現形式は日本語では普通である。こうした例では、その内容が話者にとってはマイナスの意味をもつ例が普通なので、日本語研究者は「被害受身」などと呼ぶことがある。

以上、取り上げた例はフィールドワークの場で知っておくと、調査の漏れを防ぐことに大いに役立つ例であるが、それと同時に「言語」というものがもつ表面の意味と、その裏に潜む意味という二重性に気づくということでも重要なことである。

4 「言語」の置き換え

「置き換え」とは何か

ここまでは、「ことば」や「言語」を扱ううえでの前提として欠かすことのできない話題を扱ってきた。そうした話題をさらに大きな視点で捉え直してみると、それらに共通することの一つとして「置き換え」という問題があることに気づく。

「〝A〟とは何か」について述べる場合、「置き換え」での最初の約束事は「〝A〟は〝A〟だ」という答えを出してはならないということである。「〝A〟はラテン文字の一つである」と言うのならば、答えの一例として認められる。「定義」というものは究極の同(意)語反復であるとも言えそうだが、それは「馬から落ちて落馬する」式の同語反復(tautology)とは異なる。

ここでは、「ことば」、「言語」という二つの話題のうちから、「言語」の「置き換え」について話してみたい。すでに、文字文化の中に生きる人間は「〝ことば〟の奥に〝言語〟なるものを見出した」というようなことを、フィールドワーク(現地調査)での場合に即して考えてみた。それは視点を変えれば、調査対象とする「言語A」を、調査者の側の「言語B」に置き換えることによってなされるものであるとも言える。

ある「言語」についての「置き換え」の話題は、まず基本的に二種類に分かれる。

（1）取り扱う「言語A」の素材（単語、句、文など）を、同じ「言語A」で「置き換える」

（2）取り扱う「言語A」の素材（単語、句、文など）を、別の「言語B」に「置き換える」

（2）の話題は「異言語接触」の問題に直結するものであるが、それに関する考察は別の機会に譲りたい。

ただ、この場合で再確認しておきたいのは、「言語」の場合は何気なく見過ごされがちな、「異なった」という表現に十分な注意が必要であるということである。つまり、その「異なった」言語というのは、いったい何を根拠として言っているのだろうか。「異なって」いるのは、単なる名称なのか。それとも、発音や単語や文法までを含めて言っているのだろうか。あるいは、どの程度の違いが認められれば「異なっている」とされるのだろうか。日本列島に見られるような言語環境で生活する人びとの場合、「異なる言語」というのは、発音・単語・文法のすべてが異なる、すなわち互いに通じないほど遠い言語であるというイメージが強い。日本を囲む海の向こう側の土地には、英語、ロシア語、韓国語、中国語など、日本語の話者とはまったく通じ合えない言語を話す人びとが住んでいるからである。しかし、世界の言語の中には、名称を異にする二言語を較べてみても、その両者の間には発音、単語、文法のいかなる面にも、あえて取り上げるほどの違いはない言語が少なからず見出せる。

「〇〇語」と呼ばれるものは、一般的には、その言語自体に独自の根拠をもつものではなくて、単なる名称に過ぎない。もっとも、「単なる」などと言うと、直ちに反論を試みようとする人もいるだろう。「その名称の起源としては、植民地支配による云々」という話題から始めて、その名称の歴史は決して「単なる」などと言ってすませられるものではない、といった話題にもち込むからである。

確かに、「〇〇語」という名称は、基本的には歴史・政治的な背景に影響されている例が多い。端的な例を挙げれば、アメリカで話されている言語を「アメリカ語（American）」と呼ぶか、「英語（English）」と呼ぶかということがある。たとえば、日本では、これらの違いをあまり意識せず、両者をひっくるめて「英語」という場合が多い。しかし、文学作品のフランス語への翻訳などを見ると、ジョイスの作品の訳本には「英語から」、ヘミングウェイの作品の訳本には「アメリカ語から」と表記されているのが普通であるように、「英語」と「アメリカ語」という名称は明確に区別して用いられている。それどころか、オーストラリアのあるナショナリスト作家が、英語で書かれた著名な作品を「オーストラリア語」（！）に翻訳して出版した例さえある。

こうした名称の問題は、多かれ少なかれ、すべて政治・歴史的な背景と結びつく。たとえば、朝鮮半島では「朝鮮語」と「韓国語」が話されているという発言は、その発言者の政治的な立場によっては大きな論争の種になる。「半島全体が朝鮮語の地域である」と主張する人びともいれば、「いや、韓国では韓国語だ」と主張する人びともいる。あるいは、「そんなことは、どうでもよい」というノンポリの人びともいるだろう。こうした厄介な議論を避けるために、最近の大学での講義などでは、「コリア語」という名称を用いる例も増えているようだ。これらはすべて、英語で言えば"Korean"という一つの言語である。また、言語と方言という問題に関して言えば、たとえば中国の広東語と北京語（中国語諸方言を代表する、いわゆる「中国語」）とは、それぞれの話者が会話してもまったく通じないほど異なっている。しかし、広東語は中国語の一方言（一地域語）であると言っても違和感をもつ人がいないのが普通である。一方、日本で誰かが「日本国内にはアイヌ語を除いて、日本語と琉球語が話されている」などと発言すれば、何らかの政治的な議論を引き起こすことになりかねない。こうした言語名称をめぐる問題は、後に「言語接触」の話題を扱う場合に詳しく考察することにしたい。

今回は、二つの「異なった」言語間での「置き換え」について触れるが、議論をすっきりさせるために、例として扱うのは、ごく一般的に見て「まるで違う」とされる言語、「互いに通じない」とされるほど異なった言語（たとえば日本と英語、日本語とアラビア語などの場合）とする。

「意味」が分かるとは

「言語」の特色の一つは、ある人間集団内の人びとに「共有される」という前提に支えられていることである。また、その場合の「共有」ということには、「慣例として」という意味も含まれている。なお、ここでは「意味」という語の多様性や複雑性に関しては深入りしない。基本的には簡単な「英—日単語集」に見られるような、「red—赤」といったような、ごく基本的なものとして用いる。

ただ、「意味」の意味をそのように限定したとしても、次のような問題を避けることは難しい。たとえば、「さっき、家の前で背が高い人が可愛い犬を連れて通った」などという「言語」での文を見た場合、その意味が分かったという人は、日本語という「言語」が分かったということで、この文章の意味が具体的に正確に把握できる人は存在しないはずである。なぜならば、「さっき」とは、何分何秒前のことなのか分からないし、「家の前で」というのも、どこの誰の家なのか分からない。たぶん、その文を書いた人物の家の入り口の辺りなのだろうと推測するだけである。「背が高い」という箇所は、その文を書いた人物の身長との比較で、およその背丈を考えることになるのだろう。また、その犬を連れていた人は男なのか女なのか、青年なのか老人なのかも分からない。顔つきや装いなども推測できない。犬についても、それがどのように可愛いのか、どんな種類の犬なのかはさっぱり分からない。このように文章の一語一語を綿密に考えれば考えるほど、何一つ正確なことは分からないということが分かるだけである。文章を読む側の人物は、与えられた文を素材に、自分なりに事物の有り様を勝手に創り上げて、分かった気になっているに過ぎない。ただ、それでも、この文が分かったとされる部分がある。それが日本語を話す人びとの間で共有されている「言語」の一例なのである。

最も、言語による意味のズレを極力避けようとして、特に学問分野では積極的な努力がなされている。その一例は、自然科学の分野で使われている専門用語、いわば「メタ言語」である。たとえば、「水」に関する国際会議の場には多様な言語の話者が参加する。その場合、ある言語の話者が、突然、「熱湯」の話を始めたならば、日本語の話者は驚くに違いない。日本語では、普通の場合

「熱湯」は「水」とは異なったものとして受け止められているからである。しかし、その発言者の言語では、「水」と「熱湯」は同じ単語で表現されている。その言語で、それ以上に細かく分類して表現するには、「熱い」というような形容詞を足せばよい。また、ある言語では、「水」も「お湯」も「果物ジュース」も「アルコール」も同じ単語で表現されるが、「氷」は全く別の物だとされていることも普通である。それでは混乱を起こすので、「水」という語は「H_2O」に限定するのである。つまり、水素の原子「H」二つと酸素の原子「O」一つから構成されるものという意味に限定することで、いわば「共通意味先行型」の用語を創り、それを使用して科学的話題を展開することになる。

このような形での「共通意味」は、その事物を考えるときに、各々の言語の話者が日常的に当然のものとして持つ重要な要素をいくつか除外することによって初めて成り立つ。日本語の話者にとっては、「水」には温度があり、清濁がある。その物体と発言者当人との心理的な対応の違いも大きな意味をもつ。しかし、「H_2O」には、温度もないし、味もない。感情も情動も感じられない。「H_2O」のような科学用語の多くは、ある物体の根拠となる「共通意味」を捉えているという点では正しく、かつ有効である。しかし、現実に存在する場合には、たとえ水のような日常的なものであっても、実に複雑な要素の絡まり合いであり、日常的な語彙を多く用いる社会科学、人文科学の話題を展開するときの難しさの一因ともなっている。

自然科学の世界から離れ、日常単語を出して世界共通の話題を展開することの難しさを示す例は、基本的な単語にいくらでも見出される。「兄弟」の話題を取り扱う場合、そこには女の側（姉妹）

が入るのかどうか、英語を使用をする場合で"brother"の話をする場合、"sister"はどうするのか、ということがある。日本語の話者が「兄」や「弟」の話題について話すとき、英語では"elder brother"とか、"younger brother"という具合に、「上の」とか「下の」といった語を添えて表現しなければならない。韓国語でならば、同じ「兄」でも、年下の女性（すなわち日本語の妹）から見た場合と、年下の男性（すなわち日本語の弟）から見た場合とでは、単語が異なる。オセアニアに行けば、多くの言語では、日本語で言う「いとこ」は誰であっても男であれば"brother"、女であれば"sister"という語で表現される。

日本語で言う「手」は、英語では"arm"と"hand"となるので、日本語の話者が「右手がない人」を見た場合、そのことを英語で言う時には、それが"arm"なのか"hand"なのか、気をつけなければならない。

蝦蟇蛙（ガマガエル）は英語では"frog"の一種ではなくて"toad"である。ゴリラを「monkey—猿」だと思っている人がいるが、ゴリラは"monkey"ではなくて"ape"である。日本語では「親指」も指の一つであるが、言語によっては、手と足の指を別の単語で呼び、さらに、手の親指は腕という幹の先端の一部として捉える場合もある。その種の言語から見れば、手の指は左右の手先の八本ということになる。また、日本語では手足ともに数に入れて指は二〇本あるのだが、英語で言えば、人間には"finger"は一〇本しかないということになる。足にあるのは"finger"ではなくて"toe"だからである。言語による単語の意味領域のズレは単純な話題のように思えるが、「置き換え」の話題に入る前提として押さえておく必要があるとともに、フィールドワークで「単語」を調べる場合に非常に重要なことでもある。

「置き換え」と「翻訳」

冒頭で触れたように、日本語を例にとれば、「言語」の「置き換え」には大別して二種類のものが見られる。その一つが、日本語での例を日本語の別の表現に置き換えるというものであり、もう一つが、日本語での例を別の言語の表現に置き換えるということである。

同じ言語間での「置き換え」の場合、その最良の例は「定義」と呼ばれるものに近づくことになる。しかし、異なった言語への置き換えは、多くの場合、単なる表面的な意味を自分の言語に置き換えて「分かった」と思えるかどうかというレベルで満足することが一般的である。たとえば、"This tapir is……"という文を見た場合、"tapir"とはいったい何なのだろうと、英和辞書を引いてみて、それが哺乳類の一種である獏(ばく)なのだと分かれば、実際は「獏」という動物が何なのか当人はまったく分かっていなくても、母語に置き換えられただけで分かった気になって安心できるということである。

以下で扱うのは、「異・言語間」での「置き換え」をめぐる話題であるが、それに関する最大の問題は「置き換え」と「翻訳」との混同からくるものである。

「日本語は独特な言語だ」という主張は、ひと頃は盛んに論じられたものであるが、最近、耳にする機会が減ってきた。言うまでもなく、いかなる言語も独特と言えば、すべて独特である。また、独特ということの根拠を突き詰めてゆけば、それは言語自体の構造に基づくというよりは、それを論じる人の見方によるところが大きいと言える。ところが、「ある言語で表現できることが、他のある種の言語では表現できない」という発言は、今でも各所に見受けられる。こうした主張に対するわたしの立場は簡単である。「ある言語で表現できることは、他のいかなる言語でも表現できる」ということだ。

アフリカのある大学でわたしが言語について講演をした時、その後の質問の時間にあるアフリカ人学生がわたしに向かって、「あなたの国の大学では何語で授業をしているのですか」と尋ねたことがあった。わたしが「日本の大学では授業は主に日本語を用いています」と答えると、「日本語のような（アジアの一隅で話されている未開な！）言語で、大学レベルの内容が表現できるのですか」と、怪訝な表現を浮かべたその学生に改めて問い直された。同じような質問は、日本でも普通である。たとえば、東アフリカのスワヒリ語の話をすると、スワヒリ語などというのは、アフリカ人がサバンナでのサファアリなどで用いる舌足らずの言語で、「ライオンだ、シマウマだ」とか、「だんな様、危ない！」、といった程度の会話しかできず、たかが数十の単語と、簡単な文法だけしかないのではないかと思っている人が少なくないことに気づく。

また、このような考えは、特にヨーロッパの学問に関する複雑な文章に触れている人びとの中に強く見られるように思う。そうした人びとの中には、「日本語は主語も明確でないし、論理的な文章を書くことはできない。明確に書くならば、フランス語の方がよい」などと話している人もいる。しかし、そもそも「日本語が明確でない」ということを、どうして日本語で明確に言うことができるのだろうか。確かに、日本語は日常生活では曖昧な表現をすることが多いが、それは言語の表現能力に直結するものではない。

なお、スワヒリ語が話されている東アフリカの地域では、一つの店で数階の建物をもつ日本の本屋の様子から見れば、本屋の規模はずっと小さい。本の普及率も遥かに低い。しかし、スワヒリ語での新約聖書の全訳は一八〇〇年代の後半に出されており、一九五〇年代後半からは、『シェイクスピア選集』、『モリエール戯曲集』から『不思議の国のアリス』や『フランツ・ファノン作品集』、さらにはチョムスキーの生成文法理論の用語までをも含む『言語学事典』までもがスワヒリ語での翻訳本として出版されている。

翻訳は制約の中での演奏

話題を少し戻し、異言語間での「置き換え」と「翻訳」の違いについて、少し触れてみたい。まず、「翻訳」というのは、ある言語で表現されていることを、ある「特定の人物」が、その人なりに「置き換え」を試みることである。すなわち、西洋音楽に例えれば、楽譜をもとにして個人的な「演奏」を試みるということである。そして「翻訳」というものは、原作の中に見られる順序、時間、空間、形などによる一定の「制約」の中でという条件の下でなされるものであることを忘れてはならない。以下に、簡単な例をいくつか挙げてみよう。

〖文学作品〗

文学の翻訳は、基本的には一文の長さ、行の進行の順序、章立ての順序といった制約の中で行われる。五・七・五という一七文字の俳句を、数十行の文章に「置き換え」たならば、それは翻訳ではなくて解説となってしまう。翻訳は、文の展開順、行数、一文の長さ、単語数に、できる限り合わせて訳さねばならない。ある小説を訳す場合、この本の場合は、いくつかの箇所を削った方が日本の読者には分かりやすいのではないかとか、この本の場合は章の順序を変えた方が日本の読者は理解しやすくなるのではないかといった理由で、原本を翻訳者の考えで勝手に作り変えることは許されない。

〔映画〕

映画作品の翻訳には二種類のものがある。その一つが字幕である。字幕の場合、対象とする観客は、無論、速読術の達人ではない。したがって、時間の中で読むことのできる文字数には、かなりの制約がある。字幕の場合は、画面に繰り広げられている物語の展開に観客が無理なくついていけるように、文の長さや単語数を操作したうえで訳文を仕上げる。そうした訳文は、大体において二行どまり、単語数にして一〇語から二〇語までに収まるものとせねばならない。

たとえば、イタリア映画で三〇秒続くシーンがあったとする。そこでは夫婦が激しい口喧嘩をしている。口数の多いイタリア人の喧嘩である。そのセリフを全部、逐一訳して画面に表示したとすれば、画面は文字で一杯になってしまう。さらに、シーンが変わって、場面はその二年後の話に移っても、画面上には、先ほどの夫婦喧嘩のセリフの訳文が出ているなどといったことになりかねない。つまり、映画の字幕では、いくら正確に翻訳したとしても、作品としては成り立たない。むしろ、制約のなかで、どれだけ十分に意味を伝えることができるかということを前提として、翻訳者の工夫が問われることになる。

二番目は「吹き替え」である。この場合は、まず、セリフを言う際の口の形の変化とその持続時間に対応せねばならない。例えば、アメリカ人が演じているドラマを日本語で吹き替えているとしよう。画面内で顔が大きくクローズアップされた子どもたちが、甘えた声で“mama”と言っているところで、「オカーサン（お母さん）」などという日本語が聞こえてきたならば、観客は戸惑うことになりかねない。登場人物の口の動きと、聞こえてくる声がまったく合わないからである。“mama”の“m”の部分は、両方の唇が閉じて出るはずの音声なのに、「オカーサン」と口が開きっぱなしなのは、音声学の知識など一切ない人でも、どうも妙に感じてしまうのだ。

「吹き替え」で困るのは、文化的背景を強くもったセリフの例がある場合である。たとえば日本映画には、一家団欒で食事をする画面がしばしば見られる。たとえば、場面は畳の日本間だとしよう。床の間の前にお膳が据えられ、お父さんは床の間側、お母さんは入り口側に座り、お母さんの脇にはお櫃（ひつ）が置かれている。両親の間に子どもたちが並んで座り、カメラが子どもたちの顔をクローズアップで撮る。可愛らしい子どもたちが、声を合わせて「いただきまーす」と言う。特に「マー」の部分では口を精一杯に開けている。この部分を英語やフランス語で吹き替えを行うとなると、厄介な問題が生じる。言うまでもなく、英語やフランス語では、食前に「いただきます」、食後に「ごちそうさま」といったことは言わないからである。何事かを言うとしたならば、キリスト教徒としてのお祈りだけである。しかし、お祈りは下を向いて唱えるもので、正面を向いて大きな声で言うことはない。結局、「いただきます」、「ごちそうさま」といった日本語にセリフを当てることには、言語の違いだけでなく、文化の面から見ても無理があるのだ。それでも、まったくの空白では不自然なので、登場人物の口に動きに合わせてなんとかセリフをつけるとともに、これらは日本文化の一例なのだと、それとなく知らせる工夫をするのである。

〔通訳〕

通訳は口頭でなされるので、書かれたものを基本とする翻訳とは異なる部分があるが、共通する制約も見られる。通訳には、大別すると二種類のものが見られる。一つは、話題が一段落つく場所で、通訳者が話し始める例である。もう一つは、話し手が話している場において、通訳が同時に話してゆく同時通訳の例である。

通訳は、諺のような特別の定訳がある例を除けば、話題の中で使われる単語や句などでの翻訳上の制約はあまりない。一方、同時通訳の場合に見られる最大の制約は、発言者が用いる言語とそれを訳す際の言語との間に見られる、文構造や理論展開の仕方などの言語構造の異なりによるものである。簡単な例を挙げよう。日本語では、ある程度の長さで話をした後に「……と決断します」と表現するが、英語では、「わたしは決断する……」と表現してから、その内容を展開する。このことから始まって、日本の政治家などの中には、「…や…といったようなことがあるようですが」などと長い前置きをした後に、「そこで…と言えない、こともない」などと、聴衆の顔をうかがいながら話題を展開していく例が少なくない。この話をそのまま同時に順を追って訳していくことは、ヨーロッパの多くの言語では無理である。そこで、手馴れた通訳者は、この種の日本的な展開の話を小刻みに切って、その結果がどう転んでも成り立つような訳を続けていく技術を身につけている。

〘作品の題名など〙

文学や映画、演劇作品のタイトル名の翻訳では、言うまでもなく、題名をそのまま訳しても意味を成さない。もちろん、訳者は自分が訳すことになる作品名が、その言語の文化的な意味の中で付けられていることを知っている。それを他の言語にそのまま訳したならば、ニュアンスが大きく変わってしまうことには気づいているはずだ。そのため、別の言語でのタイトルは、原題とは異なったものとなることが多い。たとえば、英語の"blue moon"などという題名をそのまま訳せば「青い月」となるだろうが、実際にその作品に接すれば、その内容は日本語から受けるような「静かで、ある種の寂しさを伴うような」物語ではなくて、予想外のものであるかもしれない。英語での「blue—憂鬱な、(性)下品な」や「moon—ふらふらとさ迷う、(俗)尻を丸出しにして見せる」がもつニュアンスが、日本語の単語から受ける印象とは大きく異なるからである。英語では「静寂」、「物寂しさ」を感じさせる"silver moon"は日本語の「青い月」に近い。ただ、日本語で「銀の月」と言えば、ドサ回りの芝居小屋の時代劇で見る銀紙のチャラチャラしたお月様を思い出させてしまうかもしれない。

わたしは、「翻訳とは制約の中での演奏である」としたが、多種多様な翻訳の例はすべて、原文、順序、時間、空間、既成の用法などの制約の中で行われるものであることが基本である。それらは与えられた様々な制約の中で、受け手に十分な意味を伝えるべくいかに工夫を試みるかといったことでもある。

翻訳が「制約の中での演奏」であるのに対し、「言語」の「置き換え」の場合は、原則として翻訳の場合のような「制約」には左右されない。それは与えられた例の何倍もの長さになっても、または何分の一になっても構わない。「今夜の晩酌はクサヤで一杯いきたいものだ」という文章も、世界のいかなる言語にも置き換えられる。そして、与えられた言語例が日常的な表現であればあるほど「置き換え」は複雑になり、その表現が難しいものとなり、科学的、数学的、哲学的な表現になればなるほど、「置き換え」は易しく素直なものになるという傾向が見られる。たとえば、「あいつは犬だ!」という文は、直訳して"He is a dog."などと置き換えるだけでは済まされない。「あいつ」という語は、単なる"he"ではなく、互いの関係からくる感情が込められている。また、この文中の「あいつ」は「犬」ではなくて明らかに「人間」である。それにも関わらず、「犬」であるとされるのは、果たしてどのような人物なのだろうか。その場合の「犬」がもつ意味は、「従順な」、「傲慢な」、「裏で何かをする怪しい」、「おべっかを使う」、「可愛らしい」、「家庭的な」など、言語によってその意味は様々である。このように、"He is a dog."というごく簡単な一文の「置き換え」は、実は一筋縄ではいかない。しかし、「核分裂が起こる危険が予測される」といった文章は、いかなる言語に置き換えることになっても、言語による意味の異なりは少なく、その作業はむしろ簡単だ。

存在論をいかに訳すか——対象とそれを語る言語との関係

このようなことを背景にしてみると、「翻訳」と「置き換え」というものが重なり合う場合は、事態をいっそう厄介なものとする。たとえば、ヨーロッパ哲学の領域では、「愛」や「存在」といった用語をテーマにした一冊数百ページもの作品が多く、それらは他の諸言語に翻訳されている。そのうち「存在」に関して、言語間の「翻訳」の場合について考えてみよう。すなわち、英語の“be”、フランス語の“être”、ドイツ語の“Sein”といった、西洋哲学では最も多く扱われる単語を巡って、その翻訳の道筋を簡単に見てみるということである。

まず、英語の原作では、この本で扱う“be”が、“This is a book.”に見られる“is”ではない、すなわち賓辞（ひんじ）の“be”ではないことを断らねばならない。しかし、英語の“be”に相当する単語を二種類もつ——たとえば、スペイン語の“ser”（一般的に賓辞として使われる）。と、“estar”（一般的に存在を表す）——言語に翻訳する場合、始めからこの二単語を使い分ければ説明は一層明確になり、訳本は英語の原作よりはページ数も少なくてすむが、翻訳本ではそれは許されない。

英語の原作を日本語に訳す場合は、この本で扱っているのが「AはBです」の「です」ではないことは明らかだ。それのみか、「存在」を表す単語には「ある（自ら動くことのない物。ここではinanimateとする）」と「いる（自ら動くとされる物。ここでanimateとする）」という二つの異なった単語がある。この本が主題としているのは、「机がある」と言うようなことではなくて、「人間の存在」についてなので、この本で扱うのは「賓辞」ではないとし、「ある（inanimate）」についてのものでもないとわざわざ断らなくても、始めから題名を『人間が〝いる〟とは何か』というようなことにすれば、原本よりページ数がずっと少なくてすむどころか、全文を訳したり余計な説明をしなくてもすむ。しかし、翻訳は原文に忠実に行わねばならないため、かえって、それが厄介な事態を生じさせることにもなる。

スワヒリ語の賓辞（〜です）としては、その表現専用に使われる単語（ni.［例］A ni B.）がある。したがって、「存在」の話題は、賓辞とそれ以外との区別についていちいち説明する必要はない。スワヒリ語の名詞は、そのものの形状や性質などに応じて、基本的に異なった形式をもつ接辞を、単数形・複数形を入れて一四種類ももつ。たとえば動詞を使って「（〜が）落ちる」という表現をする場合、落ちたものが個体なのか、液体なのか、不思議なものなのか、それとも生き物なのかなどといったことが接辞の形で分かるということである。これは、英語で〝He walks.〟と言えば、その〝s〟が手がかりに、歩くのは三人称単数に当たる人物であるのが分かるのと似たようなものである。スワヒリ語には、「存在」を表す単語に以下の三種類がある。それらは動詞ではなくて、「存在辞」とでも言えるものである。

-ko　単に、○○が「ある」、「いる」を表す（一般存在）

-mo　あえて指定された場の中に、○○が「ある」、「いる」を表す（内部存在）

-po　互いに確認できている場に、○○が「ある」、「いる」を表す（確定存在）

この〝-ko〟〝-mo〟〝-po〟が使用される場合は、それぞれの前にクラス接頭辞がつくので、単純に考えると「存在」を表す単語は一四クラスの三倍の四二個になるはずだが、使わないクラスもあるため、実際の総数は三〇種類を超える程度である。例えば「生きている人間」について言う場合、「存在」については、animateクラスの接辞（単数yu-、複数wa-）が付いた形を使わねばならない。そこで、以下の表現が可能となる。

単数	複数	
yu-ko	wa-ko	単に人が「いる」
yu-mo	wa-mo	特定のものの内部に人が「いる」
yu-po	wa-po	互いに確認済みの特定の場所に「いる」

この種の言語の場合ならば、本の題名は『人間の〝ko/mo/po〟に関して』、目次は「第一章、一般存在〝-ko〟、個人の場合、複数の人間の場合」、「第二章、内部存在〝-mo〟、個人の場合、複数の人間の場合」、「第三章、確定存在〝-po〟、個人の場合、複数の人間の場合」とでもすれば、英語の原作とは異なった章立ての本となり、原作よりはページ数もかなり少なくなるとともに、要旨はすっきりするはずである。しかし、翻訳は原作をすべて訳出しなければならないので、かえって難解な訳本となってしまう。さらに、オセアニアの多くの言語のように、「相手（読者など）を含まないわたしたち（執筆者側など）」と「相手（読者など）を含むわたしたち（すなわち我々全員）」という

異なった単語をもつ言語を翻訳に使用することができれば、英語の原作の主旨は一層明快で理解しやすいものとなるはずだ。しかし、原文に忠実に訳さねばならない翻訳では、そうした工夫は許されない。

地球上の各地で、賢人は様々なことを深く考えている。そこで問題とされるテーマの多くは、無論、その土地の人びとの生活で大きな意義を持っていることである。ただ、同時に、その人びとの言語では、そのテーマを表す単語の意味があまりに広いことが多いのではないだろうか。たとえば、"be"、"être"、"Sein" などの場合がそうである。フランス語の "aimer" と、日本語の「愛する」や「好きだ」とは異なる。別の言語では、「(誰かを)愛している」と「(アイスクリームが)好きだ」とは異なるどころか、「(神への)愛」、「(神から受ける)愛」、「(親子の)愛」「(ペットへの)愛」など、対象とする事物、それらに対する態度などで、すべての単語が異なっている。そうだとすれば、それらの日常単語の中から一つ選んで出せば、ヨーロッパの人びとが数十ページ、数十時間も使って、くどくどと解説していることなど、ある言語では一分以内に言える話題となってしまう。また、「存在」や「愛」に関する単語を多くもつ言語になればなるほど、逆に、「存在」や「愛」に関する考察は乏しくなるようにも、わたしには思われる。

言語の「置き換え」と「翻訳」とは、原理的には異なったものであると指摘できるとはいえ、その両者を明確に分けることができない例が多く見られるというのも、現実の世界なのだ。

5 「異なった言語」間の接触へ

記述言語学が目指したこと

「ことば」への興味は、わたしの場合、一〇代のはじめからのものになる。それは、現在、振り返って見れば、幼児期からの獣や野鳥などの音声伝達のあり方についての興味の延長であった。「言語学」という学問分野が存在することを知ったのは、遅まきながら二〇代に入ってからのことである。当時のわたしには、話されている「ことば」と、書かれている「言語」との区別も曖昧だったので、言語関係の書物に書かれていることには戸惑った。

やがて、「言語」と呼ぶものは、一瞬にして消えてしまう声を伴った「ことば」を何らかの方法で記述したもので、研究対象は紙の上に残されたインキの跡のごときものなのだと理解した。そうなると「ことば」では重要な役割を果たしている「声」が除外されるのは当然だ。人間は記述を通じて「ことば」の奥に潜む「言語」を発見したことを知った。

そのことを念頭において、特定の「言語」の姿を探り出すには、いかなる「言語」にも不可欠とされる幾種類かの根拠に基づいて発見作業を行うことになる。「ことば」は、基本的には切れ目のない連続体である。それらはまず、分節されている音声単位、分節されている意味単位、およびその両者に見られる連鎖関係のあり方、意味要素の範列関係のあり方として捉えられる。

「言語」がもつもう一つの特色は、普通の場合、文や句とされるものに見られる意味単位が、それらを支えるいっそう小さな意味単位や音声単位の集合で成り立つものであるということである。日本語の「これ・は・かべ・だ」に見られる個々の意味単位は、さらに〝k-o-r-e〟や〝k-a-b-e〟のように分節され、複数の種類の音声の連鎖として把握される。ここで注目すべき点は、たとえば〝kabe（壁）〟という語は〝kabi（黴）〟となると、語尾の〝e〟と〝i〟の違いだけで、その意味が異なったものになってしまうということである。さらに多くの意味単位を探っていくと、〝i〟と〝o〟という種類の音声の区別は日本語では無視できないこと、その混同は日本語を成立させないものであることが分かる。たとえば〝ike（池）〟と〝oke（桶）〟、〝ika（烏賊）〟と〝oka（丘）〟などは、それぞれ〝i〟と〝o〟を入れ換えただけで異なった意味の単位となる。

ここに見られるような音声の関係は、日本語では「対立」していると言う。他方、古典アラビア語の場合は〝i〟と〝e〟とは対立しない。古典アラビア語は、〝i〟、〝a〟、〝u〟の三母音だけの言語で、〝i〟、〝e〟のどちらを使っても意味に支障はなく、同じ意味の語なのである。「対立」ということを手掛かりにして、ある特定の言語で、必要かつ最小数の音声を探り出すと、世界に見られる七〇〇〇種を超える言語のほとんどにおいて、その数はせいぜい三〇種前後であることが分かる。そこにはもちろん、中国語に見られるような音声の高低などの対立も含めてである。この場合、その言語の構造上「必要かつ最小数」とされる音声の個々の例を「音素」と呼んでいる。

世界には五〇種を超える音素をもつ言語もあるが、最も少ない数の音素で構成されている言語としては、パプアニューギニアのブーゲンビル島で話されているロトカス（Rotokas）語があり、その言語に見られる音素数は、子音、母音も含めすべてでわずか一一種類に過ぎない。それでも、人間が表現することができる内容はすべて、その言語でも表現可能であることは言うまでもない。日本語の場合、朝から晩まで休みなく話し続けていても、話者は三〇数種類の音声を連ねて話しているに過ぎない。

日本語には三〇数種類の音素しかないという話は、疑問をもたれることが多い。日本語には五一音があるではないかというのである。それは、音声言語の種類の話と、日本語の文字（ひらがな、カタカナ）の話を混同しているからに過ぎない。もし、ある架空の言語を想定して、その言語には〝アオ〟、〝イコ〟、〝ウカ〟、〝エイ〟、〝キケ〟など、カナ文字で表記したならば、〝アイウエオ〟、〝カキクケコ〟に相当する音声しかないとすると、その言語の音声は文字で数えたら一〇種類となるだろう。しかし、言語学で扱う音声としては、単純に整理しても〝a、i、u、e、o〟と、それらの音に連結する〝k〟があるだけである。すなわち、その言語の音声は基本的には六種であるに過ぎない。それに加えて、その言語では語尾を上げれば疑問形になるというような、高低で対立する音調もあるかもしれない。そういうことを考慮すれば、たぶん、その言語の音素は全部で七～八種類ということになるのである。

一九五〇年代の前後、アメリカの言語研究の中心的な関心事は以上のようなことであり、世界各地で、当時はほとんど手がつけられていなかった多数の言語をその枠内で記述した。日本では、人間の生活を研究対象とする分野である民俗学や文化人類学では、研究対象とする社会の人びとが話す言語に関しては深入りしなかった。研究対象とする人びとが話す言語が、研究者が話す言語と同じであったことも、そのようになったことの原因の一つであろう。しかし、アメリカでは、二〇世紀に入ってから多くの研究者が人間研究の対象としたネイティヴ・アメリカンは、多様な言語を話していて、彼らの言語を理解することなしには彼らの世界は理解できないという考えを強くもっていた。そこで、まず言語の解読をという流れがあり、さまざまな言語の記述が行われた。さらに、アメリカは移民の国であり、多様な文化背景を持つ国である。その人びとの研究も言語に頼らねばならない面が多かった。また、キリスト教の布教活動には、ネイティヴ・アメリカンの言語での聖書作りは不可欠であった。当時のアメリカの言語学者として知られている人びとには、キリスト教の宣教師であった人物が少なくない。「音声単位」、「意味単位」、「連鎖関係」、「範列関係」などの面で、彼らが残した研究は「記述言語学」には非常に重要な業績を残すことになった。

言語研究の視点

言語の文や句はいかに生成されるのか。人間にとっての言語、普遍性、脳の関係はいかなるものなのか、といった話題に研究者の注目が集まるのは、一九六〇年代に入ってからのことである。一九五〇年代までの言語研究が中心課題としたことは、哲学的な言語論を別とすれば、現場に入っての諸言語の記述であり、個々の言語の仕組みの解明であり、いわば「共時」論の展開であった。

しかし、言語研究には、もう一つの側面がある。それは、「通時」論として扱う面、すなわち言語の歴史に関する考察である。「言語」なるものは人類史の過程でいかにして生まれ、いかにして形成されたのか。特定の「○○語」はいかにして生まれ、形成されたものなのか。それは人間の何百世代、何千世代を超える年月にもわたる言語史に関係する課題である。

また、個々の人間は、生まれてから成長するにつれて特定の言語を身につける。その成長過程としての個人の歴史に関する課題もある。人類史に関係するものの話題は、すでに万単位の長さの年月を対象に、虚実を含めて多様な形で考察され、発表されている。しかし、言語が個人の中で形成されるという歴史面に関しては、本格的な研究の歴史は一世紀にも満たない。

さらに、「どうして」人間は「言語」なるものを持ち、「ことば」を話すのか、という壮大な課題については、今のところは答えが出ない。この「どうして」こそ、人びとが言語に関して最も身近に感じる疑問であり、言語研究を専門とする人びとが答えを要求されることである。そして、この疑問への答えほど多数の説が存在する例もあまり知らない。しかし、その答えの大半は、人間が何かを表現したいと思う欲求、期待、必要などに駆られて言語が実現したといったような種類のもので、それはすでに「言語」をもつ人間が考えることである。言語がゼロの状態にある人間が考えつくことではない。すなわち、「どうして」の答えにはならない。このことに関する答えは、人間の脳の発達史のさらなる解明に頼ることになる部分が多いだろう。「脳の仕組みや、その機能のあり方がこのような状態になった動物がとる行動の根拠をなしているものの一例を、人は〝言語〟と呼んでいるのではないか」とでもなるのではないだろうか。

いずれにせよ、「言語」の起源や形成史に関しては、「どうして」の疑問は別として、「どのように」が現状で扱える話題である。すなわち言語の歴史は「どのように」を時間の流れの中での変化として捉えるということになるのである。ここでは、「言語」を人間の世代を超えての形成という視点から、まず見てみたい。個人の成長の過程で特定の「言語」が身につくという「言語獲得」に関する話題は後に譲りたい。

歴史言語学の関心

神と言語創造に関する重要な話題は別としたい。研究者が強い関心をもってきたのは、特定の言語が辿った歴史と、複数の言語間の関係史であった。言い換えれば、ある言語はいかなる史的発展を遂げてきたか、その言語と他の言語との関係はいかなるものであったかということである。そのことを考察するうえで、過去の研究者は生物学の領域での考え方から多くを借りてきた。実際、言語の話には、「言語の誕生」、「言語の死」、「母語」など、生物学で使われる用語が多い。言語の歴史に関しても同じで、時代を遡っていけば、「A語」と「B語」はもともと同じ言語であった、それらはまた、別のグループに属しているとされる「C語」、「D語」とも元を同じくするものであった、という具合に、枝分かれする一本の「樹」を創り上げたのである。言うまでもなく、この樹はダーウィン流の動物進化系統図の借用、または再現である。

何語であっても、人間の言語であるという点では共通している。しかし、具体的な歴史の再現としては、地面の発掘によって言語の過去が分かるわけではない。たとえば、他の言語より古い資料をもっているヨーロッパの多くの言語の場合は、地中海、インド大陸での資料をも含めて、数千年前までの言語の姿に接することが可能である（これは「言語」そのものの歴史から言えば、「わずか数千年」のことと言わねばならない)。その領域では、多くの言語の類縁関係を証明することも可能である。「インド・ヨーロッパ語族」と呼ばれるものはその一例である。しかし、アフリカ、オセアニア、中南米で話されている多くの言語の場合は、その過去を具体的に探り出す作業は、遡ってもせいぜい数百年の単位でしか成り立たない。そうだとすると、「言語」には、「系統樹」という高低さまざまな樹が世界に数十本、あるいはその数を超える本数の樹が再現されることになる。その様子を図に描けば、多様な「言語」の樹が生えた林が再現されることになる。

しかし、研究が進めば、背が低い樹も元は別の樹と同じ根をもつものであることが証明されるだろう。それに次いで、ある樹と別の樹の関係も明確になってくる。こうしたことが重なれば、いつの日か、すべての樹は所詮は同じ人類の言語なので、同じ根をもつ一本の樹から枝分かれしたものとしての姿を現すことになるだろう。これは、世界のすべての言語が一つの根元から分かれていったということに落ち着き、「言語単一起源(monogenetic)」説となる。また、この「言語単一起源」説の考え方は、具体的な「〇〇語」というものを対象としたものである。人間には、「言語」という能力が、過去のいつ頃からいかに形成され始めたのかという話とは、大いに異なるものとして扱われなければならない。

わたしには、具体的な「諸言語」の「単一起源」説を完全否定する力はない。しかし、この考え方は、過去ではなくて未来を見た場合には納得ができないところが多い。歴史の過程で消え去る「言語」が多々あるのは樹木の枝の場合も同様だ。しかし、算数的に考えれば、生き残った樹の枝は無限に枝分かれしていくものである。一本の枝からは小枝ができる。その枝は、また枝分かれする。さらにその枝も枝分かれする。そうだとすれば、人間はいつの日か、一人として同じ言語を話すこともないほど多数の言語を話すことになってしまう。

言語の歴史は動物の進化とは異なる。つまり、同種の個体が交配によって子孫を残すという生物学の話とは異なる。言語は文化と同様に、ある枝は枝分かれもするが、別の種の枝との接触の結果として融合もする。いや、言語や文化は木の枝のように輪郭が明確な「物」ではないので、言語の話題に「枝」という用語を使うこと自体が適切ではない。異なった言語を話す人間の出会いの結果、言語に新しい要素が加わったり、部分的にとはいえ接触によって新しい仕組みをもった言語が形成されることもある。外来語もそれを受け入れた言語の発音に影響を与えるし、他言語の文法から影響を受けた新しい表現が定着することもある。

ところで、大学生が言語学の教師に「日本語と中国語は関係がありますか。この二つは同じ系統に属す言語ですか」という質問をすると、その問いが終わらないうちに、「そんな質問をするな。日本語と中国語はまったく関係ない」などと言って叱られる光景を目にすることがある。しかし、その学生は、新聞や書物を見ると、そこには中国語から手に入れた漢語が多く混入していることに気づいているので、中国語と日本語には何か関係があるのではないかと気になっているのである。日本語と中国語がまったく異なった言語であるというのは、一般的な「言語系統樹」を前提とした「語族」の話題のなかでのことなのだ。

比較と対照

一種類の言語の歴史について語ることも可能だが、系統樹のような話題となると、二種類以上の言語の類縁関係などという話題に触れることになる。そして、そこには「比較」という用語が登場する。言うまでもなく、「比較」が成立するには二つ以上の要素が必要となる。しかし、それだけではすまされない。それら複数の要素が同じ意味基盤をもつものでなければならない。たとえば、「洗濯機」と「月曜日」とを比較することは一般的には難しい。ただ、この種の作業に手慣れた人物ならば、この両者を共通の意味領域内に取り込み、比較をすることができるだろう。しかし、ここで扱うのは一般的な話題である。果物としては同じ種類に入る「林檎」、「梨」、「蜜柑」を比較するというレベルでの話である。言語を対象とする場合、比較の対象になるのは「音声」、「意味単位（単語など）」、そして「仕組み（文法など）」である。その比較の仕方の細部に立ち入ることは別として、ここで必要なことは、まず、「なぜ」、そして「何を目的として」ということである。

研究の歴史を振り返ってみると、「言語」の場合の「なぜ」は、複数の言語の類縁関係を知りたいということにあった。そして、「何を目的として」は、その類縁関係を歴史背景のなかで把握するということであった。当然、「比較」の理由、その目的には、他にもさまざまなものがある。しかし、言語研究では、すでに一世紀も前に、以上の二つのことを、「比較」研究するうえでの「唯一の立場」であると定めてしまったのであった。すなわち、伝統的な言語学では、「比較言語学」というのは、二種以上の言語の類縁関係を通時論の立場から明らかにすることであったとも言えるだろう。そのために、共時的な背景での比較研究には、いかなる用語を使うべきかが難しくなる。

たとえば、「閉じた形」という共通意味領域の中にある「四角」、「三角」、「円」というような対象の比較研究には、「比較言語学」の名称をつけることができないという不都合が起きる。「三角」や「四角」は、角をもたない「円」が史的に発展したものではないからである。

よく「比較」と混同されるものに、「対照」（日本のある流派では「対比」と言う）がある。「対照」は「比較」とは異なって、その目的は複数の言語の「類縁関係を明らかにする」ことにはない。まず、二種類以上の言語の全体、または部分（文、句、単語など）を取り上げて、対象としているそれらの例の共通部分と異なった部分を明確にする。次いで、共通部分は除外して、異なった部分が、そのことを対象としている者にとっていかなる意味をもつのかを明確にすることを目的とする。たとえば、語学教育が目的ならば、「英語を学ぶ時、日本語では〝わたしは・映画を・見る〟と言うが、英語では〝わたしは・見る・映画を〟のように、語順が異なるので気をつけなさい」、「日本語の〝青〟と英語の〝blue〟とは意味領域が非常に異なっているので、その部分に注意しなさい」、「青い顔をした病人を見て、〝Your face is blue.〟などとは言ってはいけません。その場合の〝青い〟は〝pale〟と言わなければなりません」といったようなことを示すことを目的としているのである。

そこで、「対照」研究は、知的な興味を充たす「比較」研究とは異なって、多くの場合、実用的な面が多くなると言えるだろう。外国語を調べるための優れた辞書は、優れた「対照研究」の成果とも言える。また巷の書店などでよく見かけるような『日本語―英語比較文法』、『日本語―英語比較語彙研究』といった本は、頭が固い研究者から見れば、それらは二言語間の類縁関係を示すことを目的としていないので、「比較」ではなくて「対照研究」とすべきということになるだろう。

異言語の話者が接触すると

複数の言語間の話題は、「比較」や「対照」に関するもののみではない。「接触」という話題がある。この数万年の歴史を振り返ると、人間は民族移動、侵略、探検、迷い込み、強制移動（奴隷貿易など）、移民などで、地上を休みなく移動しつづけ、行く先々で自分たち以外の人間集団と出会ってきたことが分かる。いわば、人間の歴史は他者との出会いの歴史でもあったのだ。

言語の話題には、「異なった言語が接触する」という表現がよく見られるが、異なった言語自体が人間離れして接触するということは、つい最近の情報機器による打ち込み式の翻訳機械のようなものの中でしか存在しなかった。実際は、異なった言語（以下、異言語と表記）を話す人びとが接触したのである。そこでの「異言語」話者たちの接触が互いの言語には何らの影響も与えなかったという例も多い。二つの集団がある場所で戦っても、互いに自分たちの言語で叫んだり、喚いたりしただけだったという例も、普通に見られたはずだからである。アフリカのある「異言語」集団は、物の交換ということでは交流があったが、言語面での影響は一切なかったとされる。その土地では、一方の側が特定の場所に獣の肉を置いておくと、他の側がその肉を手に入れて、代わりに塩を置いておく習慣があったというのである。

異なった言語を話す人びととの接触がもたらすことを、そのことによって残された「言語」面だけに絞ってまとめてみると、次のようになるだろう。

（1）それぞれの言語には、互いに何らの影響も見られない。
（2）どちらかの集団の言語に頼るようになる（例――英語を話すアメリカ人と日本人との出会いの場で英語を話す）。
（3）その両者以外の集団が話す言葉に頼るようになる（例――チェコ語が話せない日本人と日本語が話せないチェコ人が英語で話す）。
（4）両者の間で人工的な共通語を作る（これは特殊な場合を除いては見られない。「ことば」ではなくて、狼煙（のろし）や太鼓のような言語補助具の利用でならば、しばしば見られる）。
（5）「異言語」接触が「新しい言語」を形成する。この例は、「異言語接触」に関係する話題としては最も興味深いものとなる。

「言語接触」の話題に入る前に、前提としなければならないことがある。それは言語が「異なる」ということについてである。まず、「〇〇語」と呼ばれるものは、他の言語と構造（文法）や部分（単語など）が異なる、話してもお互いに通じない言語であるとは限らないということを踏まえておかなければならない。「〇〇語」というのは、ある集団に属す人びとが話している「ことば」につけられた自称、他称としての「名称」なのである。世界には方言差すらほとんどないのに、異なった二言語であるとされる例は普通である。例えば、アジア、アフリカ、中南米のような植民地支配下にあった地域では、同じ言語集団の居住地域が複数の植民地宗主国によって分割され、そこで話されていた言語が二つ、三つの異なった名称で呼ばれるようになった例を挙げることができるだろう。また、一つの言語に自称、他称が出てくることで、同じ言語が複数の名をもつようになることもある。アフリカ大陸には何種類の言語が話されているかという話題には、この種のことをいかに扱うかという問題がある。また、「言語」に当たる単語をもたない集団も少なくない。そうした場合に最も多く見られるのは、他の集団、または言語学者のような他者によって名づけられた名称である。いずれにせよ、二つの「異なった言語」とは、名称上のことに過ぎない例があるということは、まず無視することができないことである。

例えば、隣国である朝鮮半島には「韓国語」と「朝鮮語」という二種の異なった言語が話されているという発言は、「いや、その二つは同じ言語に過ぎない」、「そうではない。その二つは別の言語だ」、「そんなことは、どうでもいいではないか」という論争を生むことにもなる。それは、言語そのもの（文法、語彙、発音など）の形式の種類のあり方に関するものというよりは、言語と密接に関係するものとしての政治論争に話題の根拠が置かれている。これらの言語はともに"Korean"という一言語となるので、以上の論争は存在しない。

韓国語と朝鮮語のような二種類のきわめて共通点が多い「異言語」が接触しても、それは日本語とアラビア語が接触する場合のように、明らかに大きいと思える影響をお互いに与え合うことはない。

ここでの話題では、「異言語」という用語が表す言語間の「違い」の程度をいかに定めるかということはひとまず置いて、お互いにまるで通じ合えないほど異なった言語という大雑把な基準で話を進めたい。

「異言語接触」という話題には、まず、言語の三大要素である音韻面、語彙面、文法面の影響が考えられる。それらは接触に関与した人間集団が話す両言語に及ぼされる場合もあるが、どちらか一方の言語に影響の重点が置かれる場合もある。また、話題は異なるが、たとえば大きく異なった二言語を話すバイリンガル人物の言語表現に見られる言語間の干渉など、個人の内部における異言語接触というものもある。しかし、そうした話題はとりあえず別のものとし、ここでは、一方の集団の言語に見られる他方からの影響を話題の中心とする。

異言語接触による「新しい言語」の生成。このことについてわたしが興味をもったのは、半世紀以上も前のことである。それは、当時の米軍基地でのことであった。ある時、米兵を相手とする職業女性が、発音は次のように日本語そのままで「ヘーイ、ユウ　ドン　カム　イエスタデー。ユーノーグッドよ」と語りかけている場に居合わせたのである。その後、注意してみると、その種の女性たちは、誰に相談するでもなく、全員が同じような話し方をしている。それが、社会的に許容されている英語ならば"You didn't come yesterday. You are bad."とでもなるだろう。また、もし日本語に英語をそのまま当てはめただけならば、「ユー　ノーグッド　ヨ」の部分は、「ユー　ワ　グッドノー　ヨ」となるかもしれない。しかし、彼女たちは皆そろって「ノーグッド」と言っているし、「自分は」のことを「アイ　ワ」とは言わず、皆そろって「ミー　ワ」と言っているのである。わたしはそのことに興味を持った。

そのことに関しては、いくつかの場で発表した。しかし、聞き手からはいかなる反応もないどころか、単に無意味な話題とされた。「それは、まともな英語ではない」、「そんなことは、その手の女たちの教育レベルが低いからに過ぎない」、「やはり、ちゃんとした英語教育は必要だ」。こうした意見は、わたしが捉まえているテーマからは見当はずれのものだった。わたしは、英語会話の習得について話しているのではなくて、人間の言語には何か重要なことが起きているのではないかという思いを話していたのである。

わたしは、二〇代の前半にはアフリカの言語の研究にのめり込んだ。多種の言語に触れてみたが、特に東アフリカで話されているスワヒリ語に親近感をもち、その言語の文法を書いたり、辞書を作成したりした。まったくの単独作業であったし、その分野の資料を手に入れることは非常に難しかった。その頃は、わたしの周囲には、ラテン語やギリシア語以外の言語は研究するに値しないと信じている研究者しかいなかった。それに、アフリカ人がまともな言語を話しているはずがないと信じきっている言語研究者も多かったので、わたしは奇人変人の類に入れられた。そのことに続いて、今度は米兵相手のお姐さんたちが話している言語の研究である。これでは、世間から理解されるはずはないと覚悟した。

その状況に救いの手を差し伸べてくれたのが、アメリカのフルブライト委員会であった。資金援助を受けてカリフォルニア大学（UCLA）の大学院に行くと、アフリカや南米などの、とても実用にはなりそうもない小さな言語を研究している人びとが多くいた。その人びとと次々に知り合うと、アフリカや南米世界への視野が一挙に広がった。わたしが「異言語接触による新しい言語の形成」として関心をもっていたことに本格的に取り組んでいる研究者もいて、その人びとからは大きな助言を得たし、なによりも自由に利用できる文献が十分に揃っていた。

その頃に初めて、異言語接触によって新しく形成される言語が「ピジン（pidgin）」や「クレオル（creole）」の名称で注目を浴び始めていることを感じた。この種の言語は地球上に一〇〇種類以上も見られ、その分布状態を垣間見るだけでも、世界地理の知識、植民地の歴史に関する知識、そして奴隷貿易関係の知識などが増えた。「言語」だけが独立してあるのではなくて、「言語」とそれを話す「人間」。わたしの中に、初期に抱いていた気持ちが再び蘇ってきた。

次章からは、「ピジン語」、「クレオル語」、そして「異言語接触」ということについての話題を取り上げてみたい。

6 「ピジン」に向けて

ナマの世界は連続体

人びとが日常生活で話している「ことば」は、個々の話者の「生き方」の表明である。他方、「言語」はその「ことば」を支えている土台の骨組みのようなものである。

個々の「言語」の土台は、基本的には、「音声」要素と「意味」要素、さらに、それらが持つ「組み立て規則」によって構成されている。その組み立て規則の一つは、音声要素と意味要素のそれぞれの順序を支える「連なりの規則」である。もう一つは、個々の音声要素と意味要素が持ち得る同種の「バリエーションの規則」である。なお、音声要素を同種のもののバリエーションであると見なすことは、調音点と調音法という基準でなされる。一方、意味要素を同種の範疇にあるもののバリエーションであると見なすことは、時間、空間、相手との対応関係などを基準としてなされる。

ここでの考察は、実際に話されている「ことば」による「コミュニケーション」のあり方を主題とするものではない。まず、記述されたものとして紙の上に残された個別の「言語」を対象とし、「異なった言語」間の「接触」の結果に見られる多様なあり方を主題とする。さらに、歴史的な面に関して遡れる記録は、五、六〇〇〇年前を限界とする。その理由は、コロンブスによる新大陸発見の時代以前の「異言語接触」の資料（書かれた言語）が存在しないからである。

考慮に入れておくべきことは、現実のナマの世界は一つの連続体であるということだ。わたしは、それを起伏や明暗などがあるだけのノッペラボウと表現することもある。つまり、すなわちナマの世界には、本来、ある事物と他の事物を明確に仕切る枠や区切りはない。しかし、一旦、何かを表現しようと思ったら、人間の場合は「言語」を用いることになる。「言語」は、ナマの世界を「音声単位」や「意味単位」によって切り取り、さらにはそれらの「組み立て規則」によって支えられた「句」や「文」という形で仕切ることにより実現する。そうした問題に関して、ここで重要になるのは、科学で扱うメタ言語の例などを別とすれば、日常で使われる言語の音声単位や意味単位のあり方は、厳格に仕切られたものではなくて、その領域が非常にファジィなものだということなのである。

この原稿は文字で表記されている。例えば、「ア・エ・イ・オ・ウ」と続けて発音してみれば、それらは分節された文字で表記されるが、実際の発音では個々の音声の間に明確な切れ目があるわけではない。また、意味単位をとってみても、たとえば虹の色は連続体である。しかし、虹の色を言語で言えば、それは「赤」、「橙」、「黄」、「緑」などと分節された形で表現することになる。さらに、個々の意味単位が持つ意味領域は、言語によって異なっていることが普通であり、同じ言語でも時代の流れの中で違いがあるものである。

「言語」が「異なる」という話題を考える場合は、それだけではすまされない。すでに述べたことであるが、言語の名称は言語そのもののあり方を基準にしたものではなくて、基本的には政治・歴史的な根拠でつけられている。そのために、構造的にも語彙の面でも同じ言語であるものが、異なる名称をもつ例が少なくない。現実の例を見れば、異なった二言語の間には、明確な仕切りをつけることができないのが普通なのである。このようなことからも、言語の話題には、必然的に「程度問題」がつきまとうことを念頭において置かねばならない。

「異なる言語」を比べてみると

言語学でいう同一語族内という面では微妙な関係にあるとはいえ、明らかに異なった言語であるとされるモンゴル語と日本語の場合を見てみよう。たとえば、フフバートル・小沢重男著『モンゴル語基礎文法』（一九九三）には、次のような文例が見られる。

Bi nidunun ene nom-i qoyar ungsi-ba.
私は　去年　この　本　を　二回　読ん　だ。

このように、モンゴル語も日本語も語順はまったく同じである。このようなことは、日本語と韓国語との関係でも見られる。さらに、語族がまったく異なった言語であるヒンディー語（インド・ヨーロッパ語族）と日本語の場合も、単語の並びが同じであり、そのために、世間で日本語とヒンディー語の歴史的な類縁関係が云々されることも少なくない。他方、両言語の単語がまったく互いに通じ合えない形をしているので、これらは異なった言語であるとすることも普通である。こうした話では、比較論（歴史論）と類型論（形態分類論の一種）とが混同されているのである。

いっそう込み入った例を挙げれば、インドのヒンディー語とパキスタンのウルドゥー語の間には、両者が話し合っても何の支障もないほど、きわめて近い方言差が認められるに過ぎない。ただ、名称の違いに加えて、ヒンディー語はサンスクリットと同じにデーヴァナーガリー文字で表記され、左から右に向けて書かれるが、ウルドゥー語はアラビア文字で表記され、右から左に向けて書かれるため、この二言語はまったく異なった言語であるとの印象を与える。もちろん、これらの言語の話者には、ヒンドゥー教徒とイスラム教徒という違いはある。しかし、こうした文化的違いを根拠に、ヒンディー語とウルドゥー語を異なった言語とするかどうか、その区別は再考が必要である。

そうかと思うと、同じ日本語であるとされる一言語の中でさえ、明らかに「異なった」とされる変種がいくらでも見出せる。一九六〇年代に、わたしが奄美諸島の一部、沖永良部島で採集した方言から例を挙げてみよう。

Hii nu munu disi
（カナ表記）ヒイ ヌ ムヌ ディシ
（標準語）ヒーヌムヌ（気の物）というのは

hiizjama 'wa ?anaN
ヒイジャマ ワ アナン
ヒージャマ（火の玉） では ない

?cjuu nu nibutuni cjaaku
チュウ ヌ ニブトゥニ チャーク
人 の 寝ている時に 強く

?usi cikiti……
ウシ チキティ
押し つけて……

（注）「ヒーヌムヌ」は、沖永良部島で信じられている「異次元世界の生命体」のこと。

中国語の場合では、広東語を話す人びとは「自分は中国語の一方言を話している」などと言うが、北京語と広東語の違いは、発音面や語彙面のみならず、使用する漢字にも大きな違いが見られるので、本来ならば別の言語であるとしても差し支えがないようなものである。

さらに、同じ方言内を見ても、そこには種々の対応表現（男・女語、敬語、身分語、職種語など）という変種があることも忘れてはならない。例えば、東京では次のような対応表現が見られる。

わたしは　食事を　してきました。
おれは　めしを　くってきた。
あたし　ごはん　食べてきた。

これらの例は、確かに文法構造は同じであるが、共通した単語すら一つもない。それでも、人びとは、この種の変種の話者が異なった言語を話しているとは言わないし、この人物はバイリンガル（個人的二言語話者）であるともしない。

他方、一般的な話題では、同じ言語の方言差でしかないとして扱われているにもかかわらず、実際は非常に異なった言語である例も見られる。たとえば、台湾には、かつては「高砂族（たかさご）」と呼ばれ、現在では「山地同胞」などと呼ばれたりしている台湾「原住民」が、台湾内の山岳部を中心に多数住んでいる。かつて、その人びとの言語は「高砂族語」などと呼ばれたが、それは、異なった一〇数集団によって話されている互いに通じない諸語である（言語学による語族分類では、それらはすべてオーストロネシア語族に属す）。それらの言語から幾種類かを取り出して示せば、これらの言語を解さなくても、その文字面だけからでも大きな違いがあることが見て取れるであろう（日本では「原住民」という用語は差別語であるとされるが、漢字を使う台湾では「先住民」と言えば、「すでに存在しない人びと」、すなわち亡くなった人びとを意味することにもなり、中国大陸から人びとが移住する以前に台湾に住んでいた人びとは「原住民」と表記する。日本での台湾研究者は、「原住民」の用語を使うのが一般的である)。

日本語　どう違うのか説明してくれませんか?
アミ語　Manga 'ai kiso pahapinanga a paini i takowanan to kasasiroma haw?
タイヤル語　Cbaqi saku kenu qu ini ptnaq?
ブヌン語　Tahuav saikin tu isa mavaipi?
ツォウ語　Pano mo yupa h 'unasi?
ヤミ語　Ikong o na katarekan?

英語の変種?——ガイアナの事例

南米の大西洋岸の小国ガイアナは非常に複雑な異言語接触を経た土地である。先住民であるインディオの諸言語、アフリカ系奴隷が話す諸語、植民地宗主国から来た人びとが話す各種の英語方言、カリブ海域の他の島から移動してきた人びとが話す諸語など、多数の言語背景を持つ人びとが、英語を基盤とする多様な変種を話している。その多様な変種を、一九七〇年代の初期、G. N. Cave が発表した論考をもとに示すと、次ページのようになる。

そこに見られる例では、どこまでが英語の変種で、どこからが英語ではない言語の変種であるとするのかが明らかではない。また、ある人物が次の変種のうちの何種類かを使い分けていても、その人物がバイリンガルであるとする人は、当人も含めて誰もいない。

標準英語	I		gave	him	one.
	aɪ		geɪv	him	wʌn.
			geɪv	him	wan.
	a		geɪv	ɪm	wan.
	a		geɪv	i:	wan.
	a		gɪv	hɪm	wan.
	a		gɪv	ɪm	wan.
	a		gɪv	i:	wan.
	a	dɪd	gɪv	i:	wan.
	a	dɪ	gɪ	i:	wan.
	a	dɪd	gɪ	i:	wan.
	a	dɪ	gi:	i:	wan.
	a	dɪ	gɪ	hi:	wan.
	mɪ	dɪ	gɪ	hi:	wan.
	mɪ	dɪ	gɪ	i:	wan.
	mɪ	bɪn	gɪ	i:	wan.
	mɪ	bɪn	gi:	i:	wan.
	mɪ	bɪn	gi:	æm	wan.
	mɪ		gi:	æm	wan.

以上、やや立ち入った例をいくつか示したが、このように「異言語」とは何かという問題については、常に「程度問題」という曖昧さがつきまとう。このことは、異言語接触によるピジン・クレオル語の形成や変容について話を進めるうえで、十分に注意しておかねばならないことである。

「程度問題」への配慮

ここでは、話題にするほどの影響を互いに与えることがない「異なった言語」間での話題は外すことにする。考察の対象とするのは、日本語と英語のように、音韻、語彙、文法の違いが非常に大きく、話者たちが話しても互いに通じ合わないような「異言語」の接触例である。また、互いに通じ合わない「ことば」という表現を使わない理由の一つは、音声を伴う「ことば」の場合は、異なった言語間でも通じる部分が少なくないからである。つまり、異なる言語の話者同士でも、怒鳴られたり、優しく話しかけられたりした場合に、その「ことば」の声のあり方から、意味や情動などが少なからず読み取れるからである。

「異言語」という用語で扱うものは、以上のような背景を前提とする。その異言語間の接触が、ある程度の期間にわたって継続されると、言語面に興味ある現象が見られることがある。もちろん、異言語接触があった場合でも、言語面では何も起こらなかったことも多い。接触による影響が、接触した両方の言語に及ぶ場合もある。そうしたことを念頭に置いたうえで、以下では、まず接触した複数言語のうちの一言語が受ける影響に注目したい。

ところで、話を進める前に、「程度問題」に関連して、もう一つ考慮に入れておきたいのが、「傾向」ということである。たとえば、東京在住の人びとがすべて東京方言を話すわけではない。都内に地方出身者はたくさんいる。歴史的に見ても、ある日、突然、江戸の下町方言の話者たちが標準語に近い東京方言を話す人びとになったわけではない。英語と英語ではない言語との間に明確な線を引くことはできない。たとえば、現実の色を前にして、青色と青ではない色との間に線を引くことはできない。その境界周辺の部分は、人によっては青だと言うが、青ではないと言う者もいる。このように、言語の話題のほとんどすべては、話題とする事例の表題の根拠を示さずに、突然、ある題目を当然のこととして出すところから始める。言語に関するほとんどすべての話題は、背後でそのテーマの選択を支えているものとしての「傾向」の強弱というものが隠されているのである。

「ジャーゴン」

すでに、異なる言語を話す話者たちが接触した際に、いかなる言語を伝え合いの手段として選択するかは多様な例があることに触れた。その第一段階の例として挙げられるものに、「ジャーゴン(jargon)」がある。

ジャーゴンは一種の片言のことばである。接触した相手の言語から、話者が必要な意味単位(単語、句など)を拾い出し、それをそのままの形で使うことが多い。単語や句、文の選択は、話者がその場で必要とする用件に関してのみに留まっている。ジャーゴンの構造には明確な規則性は見られない。発音は話者の母語の発音そのまま、またはそれに近い発音で話されることになる。なお、ジャーゴンは外来語と勘違いされがちであるが、それらは全く異なるものである。外来語は、話者にとっての母語の中に異言語からの意味要素（単語など）が個別に混入するもので、音声上での変化を除けば、表面的に見た構造（一般的な文法）面は、話者の言語は異言語接触からの影響を受けない。「スマートなメイクをパーフェクトにするメソッド」などという化粧品の広告文は、単なる外来語過剰の日本語文の例であり、ここでのピジン・クレオル諸語をめぐる「異言語接触」の話題からは外れたものである。

なお、言語研究者の間では、「外来語」の代わりに「借用語」という用語が使われることが普通であるが、わたしは常に「外来語」という用語を使うことにしている。「借用語」は、英語研究者による"loan word"の訳語であるが、日本語の常識としては、「借りる」ということは「返す」ことを前提とする。返すあてもないのに「借りた」と言うのは、どうもしっくりこないのである。

「ピジン語」の形成

「ジャーゴン」の次の段階に見られるのが「ピジン（pidgin）語」である。すでに幾度か触れたことであるが、「異言語接触」というのは、複数の言語自体が接触するということではない。接触するのは、異なった言語を話す話者、すなわち人間である。そこで、「ピジン語」と呼ばれる多くの言語の話題は、言語だけを個別に扱うべきものではなく、基本的には「異文化」接触の歴史の一部として扱われるべきものである。しかし、ここではその話題には後に触れるとして、とりあえず、「その結果」として見られるようになった言語面での一例として「ピジン語」を取り上げていくことにする。

いかなる社会環境の中で、ピジン語が生み出されたのだろうか。また、「ピジン語」と呼ばれる言語の主な特色はいかなるものとなるのか。以下に、それをまとめてみよう。

〈ピジン語形成が多く見られた場所〉

（1）異なった言語の話者が集結している軍隊内。また、軍隊とその駐屯地周辺の住民等との間の異言語接触。

（2）長期にわたる交易の場となっていた港湾部、異なった言語の話者が乗り込んで長期にわたる航海をした船上。

（3）言語の異なる地域で、何らかの集団が長期滞在した場合。たとえば、季節労働者が異言語地域で長期労働に従事していた場合など。

（4）異言語話者の共同生活の場。たとえば、奴隷制時代の農園など。

（5）異言語地域への集団的な移民が見られた場所。

（6）ある種の国際的な観光地。

（7）各地から集まった異言語話者が生活する都市部。

〈ピジン語の特徴〉

（1）二種以上の異言語接触から形成される場合がある。それは「新しい言語」の誕生へといたる可能性をもっている。

（2）その種の言語では、音声面は接触した一方の言語のものに極めて近く、語彙面は他の言語から提供されたものが大半を占める。また、文法面は、語彙面を提供した側の言語の文法が「簡略」化されたものとなる。

（3）ピジン語で表現可能な内容は、話者がその場で「とりあえず」必要としていることの表明でしかない。すなわち、母語のように生活面で必要なことは何でも表現できるという言語ではない。

（4）ピジン語の話者は、基本的には話者の母語とピジン語の「二言語話者（バイリンガル）」である。

（5）ピジン語は「独自の」文法をもつ。またピジン語の形成に関わった言語には「声調言語（tone language）」が多いが、そうした言語が関係するピジン語では、声調を失うのが普通である。

（6）ピジン語には、非常に浅い状態にあるものから、語彙面でも文法面でも深入りしている例もある。そのあり方は安定したものではないため、ピジン語は「過程」として捉えたほうがよいと思われる。したがって、単に「ピジン語」とするよりは、「ピジン語化（pidginization）」の話題とした方が適切である。

以上の特色のうち、カッコをつけて示した用語に関しては、多少の説明が必要である。まず、「新しい言語」というのは、従来の言語学で扱う「語族」のような分類には入らない言語であるという意味であって、人類が話す既成の言語とはまったく異なった「根源的に新しい」言語であるという意味ではない。このことは、「独自の」という場合にもあてはまる。

「とりあえず」という意味は、「その場限りの」という意味ももつが、「ジャーゴン」の場合とは異なって、ピジン語が使われる場は一定の状況（商売の場など）を備えており、その中で必要な用件を伝えるための言語という意味が強い。その場で行き当たりばったりに発言される傾向が強いジャーゴンとは異なる。

「簡略」化という語は、「言語」を考えるうえでは注意を必要とする。ピジン語関係の発表物には、ほとんどの場合、「単純」化という語が使われている。「単純」は「複雑」と対になるが、言語の場合、これらの語の意味は厄介な背景を持っている。「複雑」という語には、大別して二種類の意味がある。つまり、ワインのように、「複数の要素が分かちがたく溶け合ってできている（complex）」という意味と、多色の毛糸編みのセーターのように、「複数の要素でできているのだが、それらの要素は溶け合っておらず解きほぐすことが可能である（complicated）」という意味である。一方、「単純」は、ある事物を構成している要素が一つ、あるいはそれに近いということである。

それならば、「言語」の場合に、「単純」あるいは「複雑」とは、いかなる状態を意味するのだろうか。たとえば、ある言語では、物を入れる容器を、用途ごとに異なる多様な単語で表現しているとする。日本語の場合ならば、茶碗、コップ、丼、グラス、お猪口から、洗面器、バケツ、桶など、といった具合にである。他方、ある言語では、これらすべてに対して、たった一つの単語しか持っていないとする。それではどちらが「複雑」なのかとなると、ある事物を多数の単語に分けているということでは、日本語の方が複雑となるが、「意味」を先行させて考えれば、一語でそのように多種多様な物のあり方を表しているとなれば、後者の言語の方が複雑となるであろう。

実際、アフリカのバントゥ諸語には、「AはBである」という場合の「○○である」という賓辞に、主語となる事物の種類によって使い分ける二〇種類以上の異なった単語をもつ言語があるが、英語の場合は"be"一つしかない。その"be"の意味に関していかに多くのことが何百年にもわたって複雑に語られてきたかを思い出せば、「単純」と「複雑」という語の使い方の難しさが理解できるだろう。ピジン語の場合は、正しくは発音や文法などの「簡略」化という語を使うべきではないかと思う。

「二言語話者（バイリンガル）」という用語は、非常に幅が広い意味を持ち、その用法を概観するだけでも数ページを必要とする。ここでは、ごく簡単に説明を加えることにする。第一の用法としては、「二 (bi-) 言語」ではなくて、「三 (tri-) 言語」以上の話者の例も見られるが、それらはまとめて「バイリンガル」とすることにする。次に、日本語では、ある人は「バイリンガル」であると言う場合、二つの異なった言語を平均して理解し、使いこなすことができる人物を指すのが普通である。こうした意味で、「バイリンガル」という語を使用する例は、言語を扱った書物では多く見られるものである。他方、第二の用法としての「バイリンガル」とは、一人の人間が、日常生活において二種以上の異なった言語を使用していることを意味する。この立場に立つのは、社会学、文化人類学などの分野に関心をもつ人びとである。その理由は、その人びとが研究対象としている移民社会、国際的な職場などでの生活者の中には、日常的に二種（以上）の異言語に接して生活をしているとはいえ、母語以外の言語の理解、使用能力は範囲が限られている場合が普通だからである。すなわち、当人の母語以外の言語の理解・使用能力に関しては、程度のあり方は問わないということである。ピジン語を主題とする本書においては、通常、「バイリンガル」という語は、後者の意味で使用する。

「声調言語」とは、基本的には特定の言語を見た場合、その中に含まれるすべての意味単位（単語など）が、「高・低」や「高・中・低」などの声調に縛られている言語を指す。一般的には、日本語は声調言語であるとはされないが、たとえば東京方言で「昨夜、〝カキ〟を食べた」と言った場合、「柿（低・高）」と「牡蠣（高・低）」とでは意味が変わってしまう。こうしたことが声調言語ではすべての意味要素（全単語）にわたって見られるということである。

ピジン語の行方

ピジン語の形成には、二種以上の異言語が関わる場合も少なくない。ある土地の港湾部で形成されたピジン語には、各地から集まった異言語話者たちが、定期的に入港する外国船の船員との交流を通じて形成されたという例もある。またピジン語の特色の一つとして、その寿命の短さがあることをつけ加えておきたい。交流していた別の土地との関係が、政治、軍事、交易などの事情で途絶えてしまい、いつの間にかピジン語が消えてしまったという例も多い。社会通念としては正しいとされる言語（たとえば、標準的な英語）の教育がその土地で重視される傾向が強くなり、社会的には一段低く見られているピジン語が排除されてしまうという例も少なくないだろう。

しかし、そのピジン語がきわめて短期間のうちに力を得て、その土地全体に広がり始め、ついにはその土地の従来の言語を消してしまい、ピジン語がその土地の住民全員の母語になってしまう場合もある。そうした場合、単純化して言えば、その土地は一言語話者の土地となり、新しい言語は土地の人びとの母語となる。人びとの母語となった新しい言語は、「単に必要事項のみを伝える」という片言の言語ではなくて、他のいかなる種類の言語と何ら変わることのない、普通の「一言語」になっているということである。その種の言語は、「クレオル語（creole）」と呼ばれるが、それは起源から安定した形成期までの歴史が正確に指摘できるということでも、一般的な言語とは異なったものである。また、その種の言語の形成の鍵となるのは、「言語」自体の構造上の優劣などではなくて、その種の言語を選択する人びとの文化的な「価値観」である。

次章からは、「ピジン」や「クレオル」という名称の起源、それらの名称が意味する領域、「言語」としてのピジン・クレオル諸語の仕組みなどについて話を続けたい。

7　「ピジン・クレオル」と呼ばれる諸語

「異言語接触」を考えるために

「異言語」間の接触を話題の対象とする場合、それは当然のことながら異なった文化背景をもつ「人間の接触」の一部を成すものとして扱われる。普通の場合、その「人間」は双方とも複数であり、多くの場合は双方ともに集団的なものである。

現場での「異文化」間での「伝え合い」を考える場合、多様な要素（体の動き、人物特徴、その場の状況など）が関わり合うが、そのうちの一要素である「言語」に関わる話題は、「伝え合い」の中から実際に話されている「ことば」のみをまず取り出し、さらにその「ことば」を背後から支えている「言語」面のみに焦点を絞って展開される。そこで実際に対象となるのは、紙などに記述された分節記号の連なりとして見られるもの、すなわち記述された「言語」であり、それについて考察することが、一般的には「異言語接触」の話題とされるものである。また、接触する「異言語」は、構造的に非常に異なっている複数言語の間での接触が自明の前提とされており、会話が可能であるほど似通った言語であるのに名称が異なるというような場合は話題から外される。

実際に話されている「ことば」は、たとえ同じことを言ったとしても、一人として同じものではない。それのみか、特定の時間、特定の空間において、特定の相手との間でのみ実現する一回限りのものである。それは動的であり、不安定なものでもある。しかし、「言語」を話題にする場合は、紙などに分節記号で記述された標本が素材となるため、「ことば」に比べればずっと安定的なものである。そして、記述された標本について、何らかの根拠に則して一連の説明を試みればよいということになる。しかし、次のような点を考えるだけでも、その根拠の選択基準は微妙なものであることが分かる。

たとえば、日本を対象として議論を行う場合、ごく自然に「日本語」という言語の一例がまず選ばれる。そこで「日本語」として一般的に挙げられるのは、言うまでもなく、「標準語」と呼ばれるような規範的な例である。しかし、本来は一人ひとりの人間が話していることばの総体が日本語である。そして「日本語」とはそれらの具体的な諸例を総括する、いわば抽象的な名称であるに過ぎない。

まず、「日本語」という言語が存在するということは、日本語以外の言語があるということに他ならない。日本語の場合、周辺の国々で話されている言語が、中国語、ロシア語、英語といったような、日本語とは名称も構造も非常に異なった言語なので分かりやすい。しかし、世界を見れば、実際は異なる名称を持つ言語の間に、明確な構造的な違いがない場合も少なくない。つまり、異なる名称を持つ言語であっても、言語の構造としては連続体として存在するだけなのである。言語の名称は往々にして、政治・歴史背景、または研究者の思いつきなどによってつけられたものに過ぎない。

いったん言語名をつけてしまえば、絶滅の危機に瀕した言語のようなごく少数の話者しかいない言語の例を除けば、一般的にはその下位区分としての地域変種（地域による多数の方言）が見られる。また、状況対応変種（多様な社会方言、対応表現）もある。現在、多くの国では、ある言語に見られる多様な変種の中からある種の語り口を選び出し、それをその言語の規範としている。ところが世界の多くの土地では、現在でも、その地域での規範的な語り口が定められていない。ある研究者が「言語のフィールドワークによって記述した」文法を見て、その土地の人間が「こんなの、わたしたちの言語ではありませんよ」と言って大笑いし、それが自分たちの言語のものであるとは認めなかったという例を、わたしはいくつか知っている。それほど、一つの言語とされるものの変種の間の差異は大きなものであり得るのだ。

そのフィールドワークの場に見られた事情を、日本語を使って再現してみよう。あるインフォーマント（調査対象者）は、日本のある地方の方言を話す男性で、「そんなこと、わしゃあ、知らん」という語り口を研究者に提供した。その研究者は、そのような言語変種を対象として、文法（音韻論、形態論、統辞論）を記述していたとする。そこに、同じ言語の話者でありながら、もう一人のインフォーマントがやって来た。その人物は、他の地域の言語変種を話す女性の話者であった。その女性は、自分ならば「そんなん、うち、よう知らんわ」と言うと、研究者に教えた。それを耳にした先のインフォーマントの男性は、それが女言葉であり、しかも、市場などで話されている雑な言葉で、まともな言語ではないと、女性のインフォーマントの間違い（？）を正す親切さを見せた。そうすると今度は、学校教育を受けたことがある人物が、ちゃんとした日本語では「そのようなことは、わたしは知りません」と言うのだと言って、少しばかり蘊蓄を傾けて、解説をつけ加え始めた。こうしたことがよく起きるということなのである。

わたしがここで言わんとしていることは、言語の複雑さについてではない。注目すべきは、「異言語接触」という話題の前提となる、二つ以上の異なった言語とは、いつの時代の、どの地方のもので、どのような人物が、誰に向かって、どんな状況で話した「変種」なのかが明らかにされていない例が多いことである。「言語」の話題は、本来は一人ひとり、一回一回異なる現実のことばのあり方から引き出された、特定の言語「変種」に見られる、強い「傾向」を扱うものである。「異言語接触」の話題に入る前に、そのことについての認識が不可欠と思われるが、意外なほどに、議論から抜け落ちている場合が少なくない。

ちなみに、言語の話題には、「抽象」的な話題、「具体」的な話題ということに関して、次のようなことが見られる。

抽象的な話題
（人類の）言語
↓
具体的な話題　〇〇語 抽象的な話題　〇〇語

↓
具体的な話題（個々の実例としての）発話

ここで取り扱う話題は、異なった「言語」を話す人びとが話し合う時に見られる「ことば」の接触の話題とは異なる。一例を示してみよう。英語を話す人物が、英語がまったく分からない日本語話者に話しかける場合、双方の「ことば」の話し方、声の調子などによって伝え合う部分は決して無視できない。文字で書けば同じ文章でも、それが怒鳴られたのか、優しく言われたのか、その口調によっての意味の取り方には大きな違いが生じる。ましてや、いつ、どこで、誰によって、どのように言われたのかなど、様々な要素を考えれば考えるほど、個々の例では受け取る意味には違いが出てくるはずである。また、言語のみならず、言語以外の諸要素の表現や受け取り方にも、異文化間では違いが見られる。そうした話題は、「非言語コミュニケーション」という研究領域として、言語の話題とは切り離して扱われることが少なくない。しかし、本来は「異言語接触」の話題は、言語のみならず、そうした諸要素の接触でもある。そして、それらの諸要素をめぐる文化的な違い抜きには語れないものであるはずだが、往々にして、こうしたことは話題から切り捨てられている。

"pidgin"という名称

異言語接触が「言語」に何らかの変化を及ぼす例は、前に触れたように、まず初めに「ジャーゴン（jargon）」である。それはカナダからアメリカ合衆国の北西沿岸地域で話されていた「チヌーク・ジャーゴン（Chinook Jargon）」や、メキシコ湾岸で一七世紀から二〇世紀まで話されていた「モービル・ジャーゴン（Mobilian Jargon）」などであるが、その概要はある程度正確に記録されている。

次の段階に、ある程度明確に「新しい言語」の形成であるとして見られる例がある。それらは一般的には「ピジン語（pidgin）」と呼ばれる。その「ピジン語」の背景に関してはすでに触れた。

まず、話題とする「ピジン」という名称について触れてみたい。注意しておきたいことは、多くの辞書に現われる解説についてのものである。たとえば、幾種類かの「英和辞典」を見てみよう。そこには"pidgin"語とは、「メラネシア諸島の沿岸部で、中国人の海産物（主にナマコ）採集業者（英語の話者、または英語は母語ではないがその場での使用言語とする者）と島民（漁民、海産物商人）との間で話されていた舌足らずの英語」などといった説明がなされている。また、その語源に関しては、彼らが英語の"business"という単語を"biznis"、そして"pijin"のように、訛って発音したことによるとされる。こうした問題は「ピジン語の話者はまともな発音ができない」とする思い込みに繋がり、さらにはその種の言語の話者（ピジン語話者）は劣った人間であるとする人間に対する差別感にまで結びついた。

"business"から"pidgin"に変化したという解説は、今のところは最も広範囲に認められている。確かに、発音から見ても、その可能性は否定できない。その後、その名称が世界で同じような生い立ちを持つ他の諸語にも使われるようになったということも納得できることである。しかし、「太平洋諸島での云々」という話については、説明不足の感を免れない。ピジン語は、中国語と英語との接触の場合にのみ形成されたものではない。つまり、ピジン語は、世界のいかなる地域であっても、またいかなる種類の異言語接触によっても、形成されてきた言語なのである。たとえば、ポルトガル語、英語、フランス語などは、世界の各地でピジン語の誕生を促した代表的な例である。また、日本語と英語、中国の沿岸部（南部）方言と英語、アラビア語とスーダン南部諸語、北米のネイティヴ・アメリカン諸語、アフリカ諸語など、ピジン語形成に関与した異言語接触の例を挙げれば、その例は二桁に上るだろう。

いずれにせよ、〝pidgin〟という名称の語源に関しては定説がない。この説以外にも、「ピジン」という名称の起源に関しては幾種類もの説が見られる。その起源は、ヘブライ語の単語〝pidjom（交易）〟だ、ポルトガル語の〝ocupação（職業）〟だ、南アメリカのインディオの一言語であるヤヨ語の〝pidian（人間）〟だ、英語の〝pigeon（鳩）〟だ、などなど、それらの諸説の大半は、各土地での言語愛好者が創り上げた民間語源説と言えるものであることは確かである。

異言語間接触によって見られる新しい「言語」の形成には、初期状態のものから次第に深入りして安定状態に近づいたものまでの過程が含まれることになる。それは、特に構造面での変化は流動的であるため、一つの言語といった印象を与える「ピジン語」という名称よりは、むしろ「ピジン語化（pidginization）」の過程にあるものとした方が適切であるかもしれない。その過程は、初期ピジン語、安定ピジン語、脱ピジン語、（そして消滅、またはクレオル語化）という道を辿るもので、数年から一〇数年という短い期間内にその全過程が収まるのが普通のようである。

また、「言語」としての「ピジン語」には、必ずしも社会的な差別感が伴うわけではない。差別感の話題は、その種の言語に対して人びとがもつ価値観に左右される。実際に、ある社会では、ピジン語の話者は外部の人間たちとの接触で裕福な生活を手に入れたために人びとの羨望の的となり、その結果、ピジン語自体も高く評価されるようになったという例もある。この点については、後に

「クレオル語」と呼ばれる言語の成立に関する話題に関連して触れることにしたい。

また注意が必要なのは、名称がピジン語であっても、それが単なる「その場しのぎ」とも言える未完成言語なのではなくて、立派に完成した一言語としての地位、すなわち、それを母語とする人びとの生活言語としてのレベルに達している例も少なくないということである。それらは「ピジン語」の名称を持ってはいるが、実際は後述する「クレオル語」の一種なのである。

「トク・ピシン（Tok Pisin）」や、ソロモン諸島の「ピジン（Pijin）語」などは、「ピジン」名を持つクレオル語の代表的な例である。ヴァヌアツのビスラマ（Bislama）語は、現在では国の公用語の地位に置かれている立派な言語となっているが、以前は国の一部で話されているピジン語であった。ちなみに、ヴァヌアツ国内で話されている「大小」様々な言語は一〇〇種類を超え、ビスラマ語は国内統一をはかるうえでも重要な役割を果している。また、ヴァヌアツの歴史背景は複雑で、独立以前は英仏領としての経験をもつため、学校教育は英語、フランス語、ビスラマ語の三言語併用教育となっている。

“creole”という名称

“creole（英）”、“créole（仏）”は、日本では「クレオル」、「クレオール」、「クリオール」などと表記される。わたしは従来から「クレオル」としてきたが、それこそ正しい表記であると主張する気はまったくない。ただ、わたしが研究対象としてきたカリブ海域やインド洋諸島、西アフリカなどの言語では、“créole”（フランス語語彙系）、や“Kreol”、“Kreyol”（英語語彙系）などの表記が見られ、それらの語のアクセントは〝re〟の部分に置かれているので、日本語の表記で最も近いのは「クレオル」となる。また、〝o〟の部分にアクセントが置かれて、やや長音気味に発音される場合もあるので、それは「クレオール」と表記することもできるだろう。それとは別に、英米系の大学などでは、英語を母語とする教師たちが英語式に［kri:oul］と発音するので、その例に従うならば、「クリオール」が適切な表記となるのだろう。こうしたことは、例えてみれば上野駅の名前を「うえの」と表記するか、あるいは英語話者風に「うえーの」と表記するのがよいかというようなことに過ぎない。

いずれにせよ、ヨーロッパの言語から「クレオル」という語が日本語に導入される前の〝creole〟という語の語源に関しても定説はない。

まずこの語の前身が、スペイン語の〝criollo〟、ポルトガル語の〝crioulo〟であることには簡単に行き着ける。それが英語に初めて現われるのは一六〇四年であり、フランス語からの外来語であったとされる。

一般的な歴史言語学が取り扱う年代の範囲内で言えば、この語はロマンス語の単語に行き着き、それはラテン語の動詞〝creare（育てる、創り上げる）〟が語源であるということにある。しかし、現在、わたしたちが話題にしているのは、単語そのものの語源ではなくて、「クレオル語」という名称の起源を探ることである。その線で調べていくと、このポルトガル語の単語〝crioulo〟は〝cria（他人の家で育てられた人、特にその家での使用人）〟という語からできたもので、それは〝criar〟の過去分詞〝criado〟の語尾が縮小辞〝-lo〟に変わり、〝crioulo〟となったと説くのは、この種の言語研究の最大の貢献者の一人とされるJ・A・ホルム（John Alexander Holm）である。彼は、その意味を「新大陸生まれのアフリカ人奴隷である」としている。そして、そのポルトガル語の単語が、後にスペイン語、フランス語、オランダ語、英語に導入されたとしている。他方、この単語のスペイン語起源説を説く例もある。そこでは、この語は一六世紀に入ってから、すなわちコロンブスの新大陸発見以後、南米で「アフリカ以外の土地生まれのアフリカ人」、「新天地生まれのスペイン人」、「現地生まれの混血人」を意味したとされている。

〝crioulo〟という語には、この道筋とは異なった語源説がある。それは、ポルトガル人が西アフリカと関係を持っていた時代に、アフリカに住んでいたポルトガル人が〝crioulo〟であり、その後、彼らが話していたポルトガル語の変種（アフリカ方言）が〝crioulo〟と呼ばれるようになったという説である。ポルトガル語語彙系クレオル語の研究者、市之瀬敦氏によれば、〝crioulo〟が言語を意味するようになった最初の記録は、一六八四年のポルトガル人の旅行記であるようだ。

「クレオル」という語の多義性

「クレオル」という語は、その用法に混乱が見られるので注意が必要である。新大陸に関する話題を扱った多くの文献では、「クレオル」は中南米で生まれた植民地宗主国の人びと、すなわち新天地生まれのスペイン人、フランス人、ポルトガル人を意味している。しかし、その後、この語は次第にアフリカ系の（奴隷として連れて来られた）人びととヨーロッパ系の人びと（各植民地宗主国出身の白人）との混血者を意味するようになった。この二種類の意味は、土地によって、どちらか一方の意味で使われている場合もある。たとえばハイチでは、黒人と白人の混血人を「クレオル」と呼ぶことが普通である。しかし、ハイチ在住のフランス系（白人）には、自分たちは「クレオル」だとする人びともいる。そしてアメリカのルイジアナ州では、一八〇〇年代の南部文学を代表する作家、ジョージ・ケイブルが描く「クレオル」の世界に登場するのは、フランス系の白人である。他方、同じ時期に「クレオル」関係の作品を次々に発表したラフカディオ・ハーン（小泉八雲）が作品の中で描いた「クレオル」の世界は、アフリカ系の人びととその文化についてのものである。

「人種」、「言語」の領域を超えて、「クレオル」という名称は、料理にも用いられている。一般的には、「クレオル料理」というのは、西アフリカ原産のオクラなどを基本素材として、野菜や豆、肉類などを煮込んだ一種の「ごたまぜ料理」で、アフリカ風のスペイン・フランス料理とでも言えるものである。また、音楽の場合にも、主にカリブ海域、南米の大西洋側に多く見られるラテン音楽を基盤にしたものに、「クレオル音楽」の名で知られる種類がある。そして、この二、三〇年ほど、日本ではフランス経由の「クレオル文学」、「クレオル文化論」、「クレオル政治論」が一部で盛んに論じられている。「クレオル語」の話に入る前に、「クレオル」という語一つをめぐっても、このように混乱した状況があることを念頭において置かねば、話題を明確に摑むことが難しいのである。

次章からは、「クレオル」関係の分野についての具体的な例と、「クレオル語」について紹介してみたい。

8 「言語」の誕生と死

言語の死

「言語」の誕生。言語の歴史に関する文献を見ると、この種の題名がつけられている例が多い。そして、同様の題名のもとで、少なくとも次のような三種類の話題が扱われている。第一に、生物の進化論から見た人類史における「言語」の誕生である。人間の祖先がいかにして言語を話す能力を獲得したか、その出だしの時期が言語の誕生とされる。第二は、同じ言語とされていたものが、短期間のうちにあたかも別の言語のように変貌することがある。その場合、新たな言語が誕生したとされるのだ。たとえば英語のように、その祖先となる言語が、ある時期に大きな変貌を遂げ、新しい一つの言語として誕生したとされる場合である。第三は、新生児が母語となる言語を話し始めた時の状態を指す。この場合「母語」という語が、「誕生」という表現との関連をより自然なものに感じさせる。

「ピジン・クレオル」と呼ばれる言語も、様々な文献で「誕生する」と表現されることがある。それは、第一の場合のような、人類史における「言語の発生」を意味するものではない。また、第三に挙げた幼児の言語獲得の話題とも異なる。つまり、ここで「誕生する」と表現されているのは、ある言語の一方言に過ぎないとか、未完成の言語であるなどとされていたものが、完成された一つの「言語」であると他者から認められるようになるということである。

言語誕生の過程は、動物が母体から一挙に生まれ出るのとはまったく異なるため、生物に関する表現を喩えに用いることは、思わぬ誤解を生むかも知れない。ただ、現状においては、「誕生」や「生まれる」といった表現が多く用いられると同時に、「言語の死」という表現もしばしばその対概念のごとく用いられている。

ピジン・クレオル諸語の様々な例が一つの言語として認められることで、世界では次々に新しい言語が生まれ、種類が増えていくことになる。一方、死を迎える言語も存在する。現在、急速な社会変化に伴って、「消えゆく言語」、「死にゆく言語」の数が急増し、その保護や再生対策などが大きな注目を浴びるようになっている。その種の言語の保存などに関する話題にはここでは触れることはできないが、ピジン・クレオル諸語に関係が深い「言語の死」の問題については、少し触れてみたい。

以前にも触れたことがあるが、世界の言語数は、大小取り混ぜて約六〇〇〇～一万以上と言われる。一九九〇年代の後半には、この世界に生き残っている話者が一人だけとされる言語が数種類存在した。近年、少数の話者しかもたない言語を取り巻く状況は厳しさを増している。絶滅が危惧されている言語の数もきわめて多い。その中には、今ならば消滅から救える可能性があるとされる言語もあるが、消滅が避けがたいとされる言語もある。現在、毎週一言語の割合で、危機に瀕している言語が消えていっていることは、多くの研究者が認めている。そして二一世紀中に消滅する可能性があるとされる言語は全体数（約六〇〇〇種とする）の半分に及ぶだろうという予測が立てられた〔注――二〇〇九年のユネスコによる発表〕。しかし、二一世紀に入ってから、情報機器の画期的な進歩と全世界的な普及がもたらした情報伝達領域の拡大や情報伝達のスピード化は、わずか一〇年ほど前でさえ、十分に予測することは不可能だった。おそらく、危機に瀕した言語の消滅をめぐる状況は、予測を大きく上回って、ますます顕著なものとなっているに違いない。

言うまでもないことだが、国際性をもつ強い言語で流される情報は、かつてのように有線による大規模な装置によって特定地域に伝えられるものではない。むしろ、ワイアレス、つまり、電線などで結ばなくとも、小型かつ安価な機械によって情報が伝達されるようになった。情報は、いとも簡単に国境を越えて世界の奥地や僻地に、貧富の差に関わりなく誰にでも、時間をかけずに即時に届くようになった。マスメディアが流す自国や世界の政治経済情勢のような大規模な話題から、個人が求める娯楽や商品に関する情報まで、少数言語の話者たちも、各自が住む環境の中で期待する生活を実現するためには、有力言語に身を寄せた方が得策であるという考えを強めていく。その結果、小規模な言語は次々と情報化の波に飲み込まれてしまい、やがては消え去ることになる。日本語は、世界一〇大言語の一つにも入る多数の話者をもつ言語であり、近い将来に急速に消えるということは考えられないが、英語の地球語化という大波が、日本の言語生活にも様々な面で大きな影響を及ぼし始めていることは、多くの人びとが実感していることであろう。

英語と日本語の例に見るような二言語併用の状況は、異言語接触における「バイリンガリズム（bilingualism）」や「ダイグロッシア（diglossia）」の話題と直結するものである。「ダイグロッシア」

というのは、ある集団の成員全体がバイリンガル、またはそれに近い人びとである場合に、それらの話者の会話の中で、話題の内容によって言語が使い分けられる状況を言う。たとえば、会社の仕事に関しての話題では英語を用いるが、話題が課長の悪口といった世間話に変わった途端に日本語になってしまうといったような、話題に応じた言語の切り替えが日常的に見られる場合である。

「言語の死」のタイプ

ここでは、瀕死の言語の保護、バイリンガリズム、ダイグロッシアなどに関する話題には触れない。しかし、様々な例が見られる「言語の死」について、その特徴を明確にするために、いくつかのタイプに整理しておきたい。

（1）置き去り死——ある言語Aが別の言語Bと接触して融合し、新たな言語Cが誕生することで、それまで話されていたA、Bの言語は消滅した、すなわち死を迎えたとされる場合がある。その例がピジン・クレオル諸語を生み出すことになった親の言語である。

一般的には、ピジン・クレオル諸語は、接触する（複数の）言語のうちのいずれかが持つ構造（文法）や単語が基本となり、その他の言語はそれに従属的に関与する形で実現する。たとえば、A、Bの二言語が接触して形成されたピジン語Cを例にとると、C語は簡略化されたA語の構造（文法）をもつと同時に、語彙面でもA語の語彙を多く保持している。また、A、Bの二言語が接触して形成されたクレオル語Dの場合、A語とB語の両者とも異なる新しい構造が認められるが、語彙の面ではA、Bいずれかの言語の語彙が多く保持される。たとえば、「英語語彙系クレオル語」の一種、西アフリカのカメルーンの「ウェスコス（Weskos）語」は、現地のアフリカ諸語と英語が接触した結果、形成されたものである。ウェスコス語においては、クレオル語化の結果、接触した諸言語の構造は失われている一方で、単語のほとんどは英語に起源を持つものである。また、「フランス語語彙系クレオル語」の一種、ハイチのクレオル語は、主に西アフリカの諸語とフランス語が接触した結果、形成されたものである。接触した言語こそ異なれ、ハイチ・クレオル語においてもウェスコス語の場合と同様に、クレオル語化の結果、接触した諸言語の構造は失われているが、単語のほとんどはフランス語に起源を辿ることができる。

クレオル語という新しい言語を「創造」することで、それを生み出した諸言語は死んだものとされる。このような言語の死を、ここでは便宜的に「置き去り死」としておきたい。

（2）自然死――時の流れとともに言語は変化する。その結果、ある言語は力を弱めて死滅する。また、ある言語は、いつの間にかいくつかの言語に分かれ、分かれた諸言語がそれぞれ異なる言語名で呼ばれるようになる。その場合、元の言語は死滅したものとして扱われるようになる。

（3）突然死――言語自体に極端な変化や分裂が見られない場合でも、言語は死を迎えることがある。たとえば、ある言語を話す集団が、他の言語を話す集団からの襲撃を受け、話者全員が殺害されてしまい、話者がいなくなってしまったような場合がある。また、疫病が急激に広がり、話者全員が死滅してしまうような場合もある。大規模な地震、津波のような自然災害で、話者全員が犠牲になってしまう場合などもある。

（4）強要死——征服者は、様々な行動を征服された集団に強要する。被支配者となった住民たちは、生き延びるために征服者の言語を話さざるを得ないという状況に追い込まれることもある。その結果、被支配者たちの従来の言語は死滅する。

ただ、母語以外の言語を強要されるのは、必ずしも被支配者、すなわち戦いに負けた集団の側とは限らないということである。たとえば、ある集団が別の集団を襲って勝ったとしても、勝った集団の側が負けた集団に対して、言語、装い、食事などの文化面で劣等感を持っていた場合、勝った方の集団はこぞって負けた集団の言語を話し、装いや食事を真似することがありうるからである。

（5）選択死——多言語国においては、国語や公用語を身につけた者の方が、進学や就職を始めとする社会生活の面において圧倒的に有利である。そのような状況においては、本来の母語が疎んじられ、結果として見捨てられてしまう場合がしばしば見られる。そのような例は、国語や公用語の普及によって国家統一を図ろうとする国の政策によって促進される場合もあるが、国内の諸集団の人びと自らが、生活のためにより有利な選択を行った結果である場合も少なくない。

（6）棚上げ死——宗教上の理由などで、儀礼や特定の集団内での隠語、歌詞、祈禱においてしか、従来の母語が使われなくなってしまう場合がある。そのような場合、住民は自分たちが歌っている祈りの文句の意味すら知らないまま、かつての母語の形式だけを保っている状態になることがある。南米の一部に見られる宗教的な歌や祈りなどの言語表現には、その人びとがかつては母語とした西アフリカの諸言語が形式だけが保持され、秘儀めいた意味合いを持って使用されている例がある。

ピジン・クレオル諸語形成に寄与した多様な言語

「ピジン・クレオル諸語」という表題のもとに語られる異言語接触のほとんどは、世界史で「大航海の時代」と呼ばれる一六世紀以降のヨーロッパ列強国によるカリブ海域、アメリカ大陸（Americas）への勢力の拡大、インド洋諸島への進出、そしてアフリカを巻き込んだ奴隷貿易に関係を持つ。その進出の主人公はポルトガル、スペイン、フランス、イギリス、オランダやデンマークなどである。また、インド洋に面したスリランカ、インドなどの沿岸部、マラッカ海峡より東側のアジア諸国、マレーシア、インドネシア、フィリピン諸島、中国などの沿岸部に及ぶ欧米諸国の進出も無視できない。

書かれた記録は少ないが、新大陸発見の時代よりさらに一五〇〇年ほど遡った頃から盛んに行われていたアラブ世界と地中海沿岸部、そして南アジアや東南アジアの沿岸部、さらには中国南部沿岸部に至る海外交易に伴った、広範囲に及ぶ人間の移動と異文化の接触がもたらした新しい言語の形成例も少なくない。

このことからも推測できるように、「ピジン・クレオル諸語」は、インド・ヨーロッパ語族に属す諸言語（英語、フランス語、ポルトガル語、スペイン語など）と、アフリカ、アラビア、アジア、中南米やカリブ海域などの諸言語との間の接触によってのみ形成されるものばかりとは限らない。現在、ウガンダとケニアの一部で話されているヌビ（Nubi）語のように、アラビア語とアフリカ諸語との接触による例や、ネイティヴ・アメリカンの諸言語の接触による例なども見られる。また、ヨーロッパの諸言語の接触による例としては、ノルウェー語を話す漁民とロシア語を話す漁民との接触の結果として形成されたルッセノルスク（Russenorsk）語が知られている。

異言語接触が生み出す言語現象は、ここで扱っているピジン・クレオル語のような例ばかりではない。その最も身近な例は外来語だろう。ところで、外来語は借用語と呼ばれることも多いが、わたしは返すあてもないのに借用という表現を用いることには疑問を持っているので、あえて外来語と呼んでいる。外来語がまったく存在しないという言語は見当たらない。寄与言語において本来持っていた意味や用法が、外来語として使用される際には大きく変化している例は多く見られる。

また、句や文の「言語切り替え（code switching）」は、ひとまとまりの発話の中で二種の言語の句や文などを切り替えながら会話を行うというものである。「きのうね、I went to see the movie、あれ、すごく面白かった。That was very interesting、本当よ」といった発話は、その一例である。バイリンガルの子どもたちの間では、こうした言語切り替えがよく見られる。

珍しい例としては、「混成語（mixed language）」というものがある。二〇世紀初頭には、その種の言語は存在しないとされていたが、世界は広いもので、単語は圧倒的に一方の言語、文法は接触した他方の言語という例が数例発見された。この種の言語は、「混成語」というよりは、「絡み合い語（interwined language）」とでも呼んだ方が適切であるように思える。代表的な「絡み合い語」の例は、カナダのマニトバ州やサスカチュワン州、アメリカのノースダコタ州やモンタナ州の一部で、総数一〇〇〇人以下の話者によって話されている「ミチフ（Michif）語」という絶滅寸前の言語である。この言語は、カナダに住んでいたフランス語を話す毛皮猟師などのヨーロッパ人と、クリー（Cree）語などを話すネイティヴ・アメリカンとの接触によって生まれた。大雑把に言えば、この言語の名詞の九〇パーセントはフランス語、動詞のほとんどはクリー語に由来する。非常に複雑な動詞表現構造が見られ、その変化形は、いわば一語一文という形式を持っている。そのことが、このような「絡み合い」形式の言語を生み出した大きな要因とも考えられる。

「言語」の社会的背景、「ことば」への視点

「ピジン語」、「クレオル語」という名称がつけられ、その種の言語が実際に現場での言語を対象として「言語学」の一部として研究されはじめたのは、わずか半世紀ほど前のことに過ぎない。アメリカのロマンス語学者、エドワード・ホールの研究は、この種の言語の構造面を考察するうえで大きな貢献をした。また、ハワイの社会学者、J・E・ライネッケ（J. E. Reinecke）の研究は、クレオル語の言語構造を明らかにするだけでなく、その歴史的・社会的文脈を踏まえて考察することの重要性を示すものであった。

「ピジン・クレオル」という用語が一般化したのは、わずかこの一〇数年間のことに過ぎない。

その間に、特に「クレオル」という語は、一般的には異文化接触による新しい文化の形式を指す語として、人種、政治、音楽、文学、料理などの領域に拡大されてきた。同時に、その用法に混乱さえ見られるようになっている。

言うまでもなく、すべての話題は他の領域の話題と関係する。それらは、互いに溶け合って実現しているものだからである。特に、「ピジン・クレオル語」を扱う場合は、いかなる例に焦点を当てたとしても、政治、経済、人種、強制された集団移動などの諸背景を抜きにして考察することは不可能である。

これまで述べてきたように、従来の言語研究は、紙の上に記述され、定着させられた標本としての「言語」面を扱うことが前提となっており、歴史的・社会的文脈を抜きにした研究も少なくなかった。しかし、言語の研究には、「伝え合い」の現場で関与する社会背景などの諸要素の問題も切り離すことができないはずである。残念なことに、「ピジン・クレオル語」の場合に限らず、「ことば」の研究には、まだほとんど手がつけられていない。

このように言うと、「話しことば」の研究はたくさんあるではないかと思う人もいるだろう。しかし、「話しことば」に関して出された従来の研究の大半は、声なし（すなわち、実際に話されることばから、話者の語り口、声の出し方、声の個性、声が出す情動面などを除外したもの）、脈絡なし（その場の話者たちの諸属性、その話題が出る事情など）を前提としている。それらは、正しくは「話しことば」の研究ではなくて、「口語体の言語」研究とも呼ぶべきものであろう。このようなことを考えると、「ピジン・クレオル語」の研究に関しても、「言語」面だけを取り出して、その形式の変化や消滅のみに捉われるのは、望ましいことではない。

「言語の死」と言語名称

「言語の死」という話題には、「〝○○語〟が死んだ」という表現に見える「○○語」という名称自体にも問題点が見出せる。話題の出発点から、特定の名称で対象化できる「言語」というものが存在するという思い込みが前提とされているからである。

たとえば、特定のある「言語」を話題とする場合、一般的にはその言語には複数の「方言（dialect）」（地域変種）、複数の「状況対応変種（sociolect）」などがあるとする。しかし、実際には、個々の変種間に絶対的な差異が認められる例はほとんどない。「方言差」と呼ばれるものについても、音声を基準にした場合と、意味単位（単語など）を基準にした場合とでは、その差異は異なったものとなる。つまり、言語の変種間に見られる差異は、基準の置き方によって異なる相対的なものなのである。このことは方言間のみならず、言語間の場合にも当てはまる。さらに、言語名は言語そのものの違いに根拠を置いてそれぞれ付けられているものではなくて、ほとんどの場合、政治・歴史的背景のもとで付けられたものである。こうした事情が、政治情勢によってある言語名称が消されることと、その言語自体が消滅したこととは、本来はまったく異なる話題であるにもかかわらず、しばしば混同される一因となっている。

たとえば、現在の世界で最も多く使われている「英語」はイギリス語ではなくて、アメリカ語である。それも合衆国の中西部で話されている地域方言の一種を基本としたものである。アメリカ合衆国内には多数の地域方言がある。ジョージア州、サウスカロライナ州の沿岸部で話されている「ガラ（Gallah）方言」は、他の地域のアメリカ人にはまるで理解できないものである。そのガラ方言も、この数十年、テレビ放送や教育の場などで話されるアメリカ語との接触で大きな影響を受けた結果、さらに新たな変種が形成されている。こうした例を異なる変種の接触とするか、時代の流れの中での単なる方言の変化とするかについては、判断が分かれるところである。このことは「言語の死」についての話題を難しいものにしている。

また、すでに示したように、現実の言語は多数の変種の連続体として存在する。クレオル語の場合も、大別すれば、basilect（バシレクト）（接触した元の言語から最も遠い変種）、mesolect（メソレクト）（中間的な変種）、acrolect（アクロレクト）（接触した元の言語の単語や文法に近い変種）とされるものが認められる。そのクレオル語形成の際に語彙を提供した寄与言語との再度の関係から生まれる新しい変種が形成されることもある。たとえば、英語語彙系のクレオル語であるジャマイカ・クレオル語の場合、この数十年、マスメディアや教育の場面で英語との接触を重ねた結果、脱クレオル語化を起こし、「新たなる変種」が形成されてきている。このように、「変種」、「○○語」をめぐる問題は、明確な境界をつけて整然と分類できるものではない。

たとえば、カリブ海の島、ドミニカ島（ハイチと隣接するドミニカ共和国とは異なる）で話されている「ココイ（Kokoi）語」の場合、英語の変種であるのか、クレオル語の変種であるのかを明確にすることは難しい。以下に、その一例を挙げる。

ココイ・クレオル語　Di nega dem e taak gud kokoi.
標準英語　The people talk good Kokoy.
日本語　人びとはよいココイ語を話す。
注――di（the）、nega（people nigger）、dem（複数指示）、e（現在形）、taak（talk）、gud（good）、kokoi（Kokoy）

また、パプアニューギニアのトク・ピシン（Tok Pisin）の例では、勘のよい者ならば以下に挙げた文例の語彙の大半は英語起源であることが推測できるだろう。ただ、だからと言って、トク・ピシンが英語の地域方言と考える者はいないだろう。

トク・ピシン　Dispela tok bilong yu, em nau mi harim namba wan taim.
英語意訳　What you're saying now, I hear for the first time.
日本語　今、あなたが言っている話を、わたしは初めて聞く（または、聞いた）。
注――dispela は this fellow から。-pela は形容詞として使われる場合の接尾辞／wan（一つ）、wanpela（一つの）／tok（話）は英語の talk から／bilong は英語の of の意味で使用／yu は you から。複数形は yupela、yutupela は you-two-fellow からで、「あなた方二人」の意味／em（それ）／nau は英語の now から／mi は me に由来し、I の意味。なお、トク・ピシンでは「私たち」を意味する語に双数形があり、当人を含む側のみを指す場合は mipela、相手の側も含む場合は yumi と言う／namba wan

taim は number one time から。the first time（初めて）の意味。／harim は hear him から。

トク・ピシンでは、他動詞が目的語を持たない場合は動詞はそのままの形で、目的語をもつ場合はいかなる動詞であれ -im がつく。

例——Mi luk.（私は見る）。Mi lukim yu.（私はあなたを見る）。

基本的な時間指示は、未来（不確定）は baimbai（by and by から）を文頭につける。現在形は何もつけない。また、過去形の場合は bin（英語の been から）を動詞の前に置く。その例を、luk（見る）を使って示してみよう。

Baimbai mi lukim yu.　私はあなたを見るだろう。

Mi lukim yu.　私はあなたを見る。

Mi bin lukim yu.　私はあなたを見た。

何しろこの種の話題を論じる際には、現実に存在する対象自体から区分を見出しているというよりは、所与の言語名称を先行させて対象を捉えていることの方が多い。このことでは、地理の研究が思い起こされる。たとえば地理では、現実には境目なく連続する山を前にして、その山の表面に、頂上、中腹、裾野などという「単語」を見出すことに重点を置くことによって研究がなされる。その点では、地理学における対象の捉え方は、言語学における言語の捉え方と共通している。ただ、語る側（言語）と語られる側（地形など）とが別物である地理とは異なって、言語の場合は、語る側と語られる側とが同じ「言語」であるということに起因する厄介な問題がある。

9　クレオル語の背景

クレオル語を考えるために

「クレオル語」という名称は、異言語接触によって形成されることがありうる新しい言語を示す総称である。その中には、主に一六世紀以後、すなわち新大陸発見の時代以降に起こった異言語接触の結果として形成された多数の言語が含まれる。また、通常の言語研究の場合は、「○○語」という個別言語の存在を前提として、その言語の内部構造の探究に主な関心が注がれている。それに対して、クレオル語研究では、それぞれの言語の内部構造だけではなく、そのような言語を生み出した社会史にも重点が置かれている。

また、通常の言語研究では、特定の言語名称が表題に挙げられる。たとえば、「英語」、「日本語」、「中国語」といった名称をもつ個々の言語には、その下位区分として複数の方言（dialects）、状況対応変種（sociolects）をはじめとして、個人語（idiolects）などの無数のバリエーションが見られる。しかしいずれの場合も、「○○語」とされるものはそうした多様な変種の代表例である。

さらに、これまでたびたび述べてきたように、研究対象とされているのは、実際に話されている「ことば」ではなく、紙などの平面上に文字や記号によって記述された「言語」であることも忘れてはならない。現在では、「ことば」の話し「声」を録音という手段で記録し、それを提示することが可能であるが、それをそのままの形で研究する手段は今のところ存在しない。つまり、話し「声」を録音という形で記録はできても、文字や図形記号を使って「言語音声」と名づけられるものに置き換えなければ、研究対象とはならないのである。

「言語音声」は、実際に聞こえる話し「声」のような具体的なものではなく、言語を研究するうえでの抽象的な概念である。つまり、「〇〇語」を話す人びとの実際の話し「声」は、たとえ同じ「おはよう」といった短い表現であったとしても、個人の声の特徴や諸コンテクストなどまでを含めて、非常に多様性に富んだものである。しかし、その背後には幾種類かの「言語音声」が見てとれる。つまり、「言語音声」とは、実際の「ことば」の「声」から個人の特徴やコンテクストを切り落としたうえで捉えられる、「言語」を構成する基本的な音声の「種類」なのである。

文字や記号は、連続体である話し「ことば」を、分節された「言語音声」として記述することを可能にした。その一方で、記述に用いる文字や記号のあり方が、言語音声の分節のあり方を縛ってしまうという問題も生じたことで、「声」によって表現される実際の話し「ことば」から「言語」をいっそう遠ざけることにもなった。ただ、従来の言語研究においては、このような記述された「言語」と、話された「ことば」との違いは、しばしば見過ごされてきた。

言語に関する多様な事象を扱う研究とは別に、「言語学」なる分野が生まれたのは一九二〇年代後半である。その新しい分野で研究対象とされるのは「〇〇語」と名づけられたものに見出せる言語の「構造」面である。言語構造は、一般的には単一モデル（すなわち「〇〇語」、あるいはその

「一変種」の文法）として示される。その「文法」には、言語はこうあるべきとする「規範論」に立つものと、言語そのものの姿はこうであるということを示す「記述論」に立つものがあるが、クレオル語研究の場合は圧倒的に「記述論」に立つものが多い。

また、「○○語の文法」として示される単一モデルにも様々な例が見られる。一文の中に見られる記述された音声単位、意味単位などの分布状態を指摘するだけのものや、各要素間の連鎖規則を示すものもある。その場合、各要素の連鎖のあり方は、列車の車両のように個別に整然と並ぶとは限らない。

意味単位の最後の音声とそれに続く意味単位の最初の音声との関係で、前後の意味単位が規則的に形を変える例も普通である。たとえば、英語の場合、名詞の複数形を示す際に、語尾に"-s"、"-z"を付加することが一般的である。たとえば、連鎖を成す意味単位の最後の音声が無声子音であったならば"-s"（たとえばbuk-s）、有声子音であったならば"-z"（dɔg-z）となる。多くのクレオル語の形成に深く関与したアフリカ諸語には、このような音声の溶け合いや消失などが多く見られる。しかし、クレオル語の意味単位の場合、それが置かれている前後関係に形が影響されることは稀である。一般的には、意味単位の前後関係に影響された音声の溶け合いや消失は見られない。

クレオル語と「普遍性」を巡る問題

「二歳の首相が鉛筆の先に立って踊った」という文は、誰もが初めて目にするものであろう。意味の面は別として、日本語としての文の構造上から見れば、この文例には誤りはないとされる。このように、明らかに初めて話す文であっても、その言語を母語とする話者は、諸要素の組み立てを無意識のうちに正確に成し遂げることが可能である。また、その文例に初めて接した場合でも、その言語を身につけた者であれば、文の内容の理解が可能である。

こうしたことは、いかなる言語の場合にも言えることであるが、それはいかなる根拠に基づいて可能であるのだろうか。その解明に向けて、個々の文例を支える仕組みを明示することを、文法研究の重要な課題であるとする立場もある。さらに、「丸い三角は美味しい」という文に見られるように、形式上では不都合なところはないが、言語表現としては一般的には（前衛作品を除いて）成り立たないとされる例が見られるのは、いかなる理由によるのかといったことの説明も要求されている。

このことに加えて、人間は生まれた場の環境（すでに特定の言語を話している親や身近な人びと）から既成の言語を身につけるとされるが、クレオル語の場合は、未完成とも言えるピジン語を話す人びと（親など）に囲まれた環境の中で、自らの言語を、きわめて短期間の間に、他のいかなる言語とも変わらない「完成された言語」に意図せずに形成させてしまう。クレオル語研究においては、こうしたことはいかにして可能かといった問題の解明が、重要な課題とされている。

さらに、意味単位の組み立て順や、そこに含まれる意味要素の数などは、表面的には言語の種類によって異なる。基本的には、異なる言語で同じ内容を表現するとしたならば、個々の言語の表面で示されている意味と、その文例の背後に潜んでいる意味との関係はいかなるものなのかといったようなことも問題となる。以下に、その一例を示してみよう。

日本語　　　　　これは　本　です。
英語　This is a book.　これ・です（動詞）・本
ロシア語　Eta kniga.　これ・本
スワヒリ語　Hiki ni kitabu.　これ・です（賓辞）・本

これらの例はそれぞれ、語順や意味要素の数が異なる。それは単に意味単位の展開の順序が言語によって異なるということのみではない。個々の意味単位がもつ意味領域にも、言語によって違いが認められる。日本語の「です」（変化形をもつ賓辞）と、英語の〝is〟（be動詞）と、スワヒリ語の〝ni〟（賓辞専用）の意味は異なる。より細かく見れば、〝本〟と〝kniga〟と〝book〟も、それぞれどこか意味がずれている。それにもかかわらず、これらの文の背後には「AはBです」という共通の意味が潜んでいる（この文はA＝Bと表示することはできない。なぜなら、A＝Bの場合は、B＝Aも成り立たねばならないが、言語の場合は、「ポチは犬です」を「犬はポチです」と置き換えることはできない）。このような、表面の意味とその背後にある深い意味との関係や、意味単位とその組み立て順との関係は、個別言語の事例の分析を超えて、人類全体が共有する言語の「普遍性」という問題にも関わるものである。その「普遍性」を巡る話題も、クレオル語研究においては、多く取り上げられている。

注意すべき点は、従来の言語研究で話題とされる「普遍性」とは、文の内容面から見た場合のものであったということである。つまり、クレオル語研究以前の言語の「普遍性」に関する研究では、その文を支えている複数の意味単位がいかなる順序で連鎖しているかという点はほとんど指摘されてこなかった。わたしが、普遍的な文に見られる意味単位の連鎖順に関する話題を、日本語で説明したならば、「〝Aは・Bです〟は〝普遍〟的な表現だ」などとなるが、同じことを英語で説明すれば、「〝A・です・B〟という表現は普遍的なものだ」と表現することになる。さらに別の言語で表現したならば、同じ内容は「B（に関しては）・Aです」といった展開順となる場合もある。このように、従来の言語研究においては、それぞれが用いる言語で文法上の普遍性について論じようとすれば、その言語の文法構造に縛られるという問題があった。

これに対し、世界に見られるクレオル諸語の場合、いまの文はほぼすべてで「A・です・B」の型が現われることが明らかになっている。現在形表現の場合、賓辞が文中には現われない例も多い。こうした例は、ロシア語やアラビア語にも見られ、「Aは・Bです」は、「A・B」という〝です〟抜きの文で表現される（なお、過去形、未来形の場合は賓辞を伴うことが普通である）。

また、動詞表現を含む文の場合には、「Aは・Bを・する」、「Aは・する・Bを」や、「Bを・Aは・する」、「する・Aは・Bを」、「する・Bを・Aは」などの基本形をもつ言語が見られる。それに対し、クレオル語の場合はすべて「Aは・する・Bを」という形をとる。

ほぼすべてのクレオル語の例が句や文の構造面で共通性をもつということ、さらに、構造的に未完成の言語であるピジン語話者を両親として生まれた者が、他の一般的な言語の話者と比べて表現能力としては変わるところがない完成された言語（クレオル語）を創り出すということを、人間という動物が備えている普遍的な特性に基づくものであるとする考え方がある。「バイオプログラム説」のように、「言語」は人間にとっては普遍的な特性であり、その構造は人間に先天的に備わっているものとして捉えて、それが生後数年のうちに、話者の生育環境で話されている「〇〇語」の構造に変換されてゆくとする考えは、その一例と言えよう。

なお、人間という動物に先天的に備わっている「普遍」的な「言語」なるものは、すべての個別言語を支える見えない存在として想定されるものである。クレオル語は、その普遍的な「言語」が顕在化した稀有な例であるとする立場もあるが、その考えには非常に興味をそそられる。

言語を支える意味単位の問題

クレオル語研究は、伝統的な「比較」言語研究、つまり、研究対象とする複数言語の比較を通して、それらの類縁関係を見出すことで語族を明らかにするといった、長い歴史内での出来事を探究する研究とは関心を異にする。それは、クレオル語研究が複数言語の接触、その結果といった、比較的短期間に起こることに中心的な関心があるからだろう。

言語構造を支える意味単位に関しては、一般的には「品詞」という分類基準が用いられる。しかし、現代語を対象とする限りでは、世界中の言語に共通する品詞分類が成り立つわけではない。品詞分類が有効なのは、個々の言語内だけでのことである。ある言語では形容詞とされるものも、多くの言語では動詞の一種である。ある言語では基本的な品詞とされるものも、多くの言語には存在しない。たとえば、アフリカの言語には、形容詞がほとんど存在しない言語が多い。英語では

“white”、“green”や“rich”などは形容詞であるが、日本語では「白い」は形容詞であっても、「みどりい」とか「かねもちい」などという形容詞はない。「みどり・の」とか「金持ち・の」、「富ん・でいる」などのように、複数の意味単位を使用しなければならない。「て」、「に」、「を」、「は」などは、日本語では助詞とされる独立した意味単位であるが、多くの言語では、それらは品詞というよりは語の変化形の一部でしかない。

いずれにせよ、品詞の分類は、基本的には次の三種類の基準によってなされる。

（1）形――変化表のような表を作成した場合に、同じ型を示すものを同一の品詞とする。そこで、日本語の「ある」は「動詞」であるが、「ない」は「大きい」、「白い」などと同じ型の変化形をもつので、「形容詞」として扱われる。英語でならば「ない」を表す場合は、動詞に否定辞がついたものとして扱われる。

（2）意味――同じ意味範疇に属するものを同じ品詞であるとする。たとえば、「動く」、「変化する」等の意味をもつ単位を「動詞」の決め手であるとすれば、「動かず」とか「不変である」という意味単位の品詞はどうなるかという問題が出ることになる。

（3）働き――文中に置かれた場所で担っている意味を基準にして品詞を決める。たとえば、英語の“who”は、そのままでは疑問代名詞であるが、“the boy who came here”のような文を与えられれば、“who”は関係代名詞となってしまう。

本来、分類は同じ基準に則って成されなければならないが、言語の場合は、以上の三種類の基準が混在して品詞分類がなされている。つまり、各言語での慣用とも言えるものが、品詞分類として用いられている。ただし、いかなる言語にも、複数の意味単位を使って構成される句や文などでは、名詞句、形容詞句、動詞句などといったものが見出されるのは言うまでもない。クレオル語の場合は、異言語接触によって形成されるという性質上、ある言語では幾種もの品詞が混じった句や文であったものが、一単語となってしまっている例も多く見られる。

さらに、言語には、形式上での構造面のみではなくて、意味の問題がつきまとう。言語の意味というものは、明確な境界を示すことができるものではない。ある語の意味領域と隣接する語の意味領域との境界は、明確に区切ることができるものではなく、連続体としてのみ成り立つ。簡単な辞書の類に示されているものは、その語がもつ意味領域のうちの代表的な例であるに過ぎない。その種の意味は同じ言語の話者全員が共有するものであるが、同時に、特定の誰のものでもない。また、辞書などで示されている規範的な意味は、現実の伝え合いの場では現われにくいものである。実際の場では、意味単位は現状を表わすものであるとともに、未来への希望、期待などが込められたものである。つまり、意味単位が指す意味は、現実の例では多義的であることが普通なのである。

ある意味単位は、他の意味単位との境界線がない連続体であるということは、「曖昧性」ということに通じるが、この曖昧性がもつ重要性も無視できない。さらに、意味単位は、文中に占める位置によって意味を変えることも普通である。クレオル諸語の場合は、こうした意味の広がりは極めて狭いと言えそうである。異なる言語接触が生み出した不要な意味領域は削られ、意味は額面通りに使用される傾向が強いと言えよう。

ここでは、「単語」という用語を使わず、「意味単位」などという一般的ではない用語を用いることになった。その理由は、クレオル語の場合は全面的に独立した意味単位が認められるので「単語」という用語を用いることもできるが、クレオル語の形成に関与した多くの言語では「単語」という用語が使えない例が非常に多いからである。たとえば一語一文といった例も普通である。

そうした言語の例を挙げるとすれば、(英語)"I get it."という文では、"I"は「わたし」、"get"だけでは「手に入れろ」という動詞の命令形、"it"は何らかの物の単数形を示すものであり、それぞれが独立して使用できる単語である。しかし、同じ内容をスワヒリ語で示せば、"Nakipata."となる。そこでは、"n-"が「わたし」、"-a-"は「動詞の現在形」、"-ki-"は「固形物の一つ」、"-pat-"は「手に入れる」、"-a"は「動詞の変化形(肯定形)」を意味し、個々の単位はそのままでは決して独立して使われることがない。言うまでもないが、意味単位をもたない言語はあり得ない。ただ、そのあり方は言語によって様々なのである。

解説

本書は、ピジン・クレオル諸語をめぐって西江雅之先生が残された論考の中で中心的な二つの連載、「〈出合い〉の言語学」（平凡社『月刊百科』四三二号〜四四三号（一九九八年一〇月〜一九九九年九月）に掲載）と「出会いと言葉」（青土社『現代思想』二〇一〇年五月号〜二〇一一年四月号に掲載。本書では「『ことば』を追って」と改題）を収めたものです（なお、本書の中では、用字用語の統一、連載発表時と現在との統計データ等の違いなどのために、若干の変更を施しています）。日本におけるピジン・クレオル語研究の先駆的な存在であった先生ですが、本書はその考察の軌跡を集めた初めての本になります。後者の連載は、先生が自身の視点をより打ち出して書かれていますが、諸般の事情があり、途中でストップしています。果たして、先生はこの続きに何を書こうとされていたのでしょうか。

先生のピジン・クレオル諸語研究は、先生が二〇代の後半、つまり一九六〇年代中頃には始まっていたようです。確認できるなかで最初期の論考としては、「アフリカのクレオル語」（『月刊アフリカ』第七巻一二号、一九六七年一二月）があります。その後もピジン・クレオル諸語の世界を描いた数多くのエッセイの他に、「ハイチ・クレオル語記述に関するノート」（『環カリブ海地域における複合文化の比較研究』東京外国語大学アジア・アフリカ研究所、一九八五年）などの現地調査にもとづく研究を発表されたほか、当時比類のない規模と水準で編まれた『言語学大辞典（全七巻）』（三省堂、一九八八〜二〇〇一年）にもピジン・クレオル諸語を主とする約四〇もの言語の項目を執筆されています。

先生がピジン・クレオル諸語に関心を持ちはじめた一九六〇年代といえば、従来の言語学が目指した個別言語の構造や諸言語の歴史的変遷と系統関係の解明といった関心に対して、チョムスキーの生成文法理論など、人間の普遍的な言語能力の探究に向けた新たな関心の波が起こった時期でした。そして、それまでまともな言語とは考えられてこなかったピジン・クレオル諸語への見方が大きく変わり、通常は顕在化しないはずの普遍的な言語能力の解明への手がかりとして注目を集めるようになっていきます。

人間の言語と何か。この大きな問いに対して、本書は、普遍的な言語能力、個別の「〇〇語」、そして、現場で話される「ことば」という、三つの水準があることを指摘しています。これらすべての水準を見据えながら、先生の考察が何よりも特徴的なのは、現場での「ことば」を常に立脚点とされていることです。その姿勢は動物になりたかった少年時代から一貫したものでした。「言語」は「ことば」の標本に過ぎないんです、人間もまた動物の一種なんです、と先生がよく口にされていたことを思い出します。こうした先生の「ことば」への関心は、フィールドで出会う人間の「伝え合い」へ、その人間がもつ文化や歴史へと豊かに広がっています。

自身を評して、「師なし弟子なし」の「無手勝流」だとおっしゃっていた先生ですが、自身の研究に関連する文献にはことごとく目を通されていたのも事実です。三鷹の「蝦蟇屋敷」と名づけたお宅では、言語学の理論書や現地で収集された資料はもちろん、文化人類学、哲学、心理学、コミュニケーション論、動物行動学、歴史学、文学、美術、音楽などの多岐にわたる分野の書籍が、アフリカやニューギニアなどの民芸品と渾然一体となって部屋を埋め尽くし、一つの西江ワールドを醸し出していました。

知識の世界と現実のフィールド。この間を自在に行き来した先生が残した足跡は、これまで数多くのエッセイや写真集となっています。本書に関心を寄せられた方には、ぜひ先生のエッセイや写真集をあわせて手に取っていただき、ピジン・クレオル諸語の世界の広がりを身近に感じていただければと思います。

最後に、『新「ことば」の課外授業』（白水社）に引き続いて、この『ピジン・クレオル諸語の世界』を見出し、世に送りだしてくださった白水社編集部の岩堀雅己様に厚く感謝を申し上げます。本書が、人間の豊かなことばの世界に関心をもつ方々に、新たな扉を開くものになることを心から願っています。

二〇二〇年五月

加原　奈穂子

著者略歴

西江雅之（にしえ・まさゆき）一九三七—二〇一五

一九三七年、東京生まれ。言語学・文化人類学者。早稲田大学大学院文学研究科芸術学専攻修士修了後、フルブライト奨学生としてカリフォルニア大学（UCLA）大学院・アフリカ研究科に留学。帰国後、東京外国語大学、早稲田大学、東京芸術大学などで教壇に立った。また、主に東アフリカ、環カリブ海地域、インド洋諸島、パプアニューギニアで言語と文化のフィールドワークに従事。アフリカ諸語、ピジン・クレオル諸語の先駆的研究をなした。現代芸術関係の分野での活動も多い。

主な著作に、『ヒトかサルかと問われても』（半生記）、『花のある遠景』、『旅人からの便り』、『異郷の景色』、『マチョ・イネのアフリカ日記』、『ことばを追って』、『風に運ばれた道』、『伝説のアメリカン・ヒーロー』、『アフリカのことば』、『異郷日記』、『食べる』、『新「ことば」の課外授業』、『ことばだけでは伝わらない』、『サルの檻、ヒトの檻——文化人類学講義』（吉行淳之介氏との対談集）、『貴人のティータイム』（平野威馬雄氏との対談集）、『たけしのグレートジャーニー』（ビートたけし他との共著）、写真集に『花のある遠景』、『顔！パプアニューギニアの祭り』などがある。エッセイの名手としても知られ、多くの高等学校国語教科書などにエッセイが採用されている。

ピジン・クレオル諸語の世界
ことばとことばが出合うとき

二〇二〇年 六 月一五日 印刷
二〇二〇年 七 月 五 日 発行

著 者 © 西江雅之
発行者 及川直志
印刷所 株式会社三陽社
発行所 株式会社白水社

東京都千代田区神田小川町三の二四
電話 営業部〇三（三二九一）七八一一
編集部〇三（三二九一）七八二一
振替 〇〇一九〇-五-三三二二八
郵便番号 一〇一-〇〇五二
www.hakusuisha.co.jp

乱丁・落丁本は、送料小社負担にてお取り替えいたします。

加瀬製本

ISBN978-4-560-08874-6
Printed in Japan

黒田龍之助の本

寄り道ふらふら外国語
黒田龍之助 著

英語のホラー小説をフランス語で読む。フランス映画を観てスペイン語が勉強したくなる。外国語の魅力はそれぞれの地域を越えて広がっていく。仏伊独西語の新たな楽しみ方満載の一冊。

ことばはフラフラ変わる
黒田龍之助 著

外国語大学での名講義を再現。ことばはなぜ変化するの？　言語学の基礎である比較言語学がわかると、外国語学習はもっと楽しくなる。

もっとにぎやかな外国語の世界
黒田龍之助 著

この地球には数えきれないほどさまざまな言語がある。文字や音のひびきはもちろん、数え方や名付け方だっていろいろ違う。あなたにぴったりの〈ことば〉を見つける旅に出ませんか。

【白水Ｕブックス版】

寝るまえ５分の外国語
語学書書評集

黒田龍之助 著

語学参考書は文法や会話表現だけでなく、新たな世界の魅力まで教えてくれる。読めば読むほど面白いオススメの一〇三冊。